Leipzig

Leipzig

Roland Dreßler Dr. Klaus Sohl

Artcolor Verlag

Titel: Das alte Kaufhaus Topas wird heute von der Commerzbank genutzt.

Seite 2: Das Zentrum von Leipzig aus der Luft.

Seite 5: Mephisto und Faust in der Mädler-Passage.

Seite 6: Leibniz-Denkmal und Universitätshochhaus. Das von Ernst Hänel 1883 modellierte Denkmal stand ursprünglich im Paulinerhof der Universität.

Front cover: The former department store »Topas« is today used by the Commerzbank.

Page 2: An aerial view of the centre of Leipzig.

Page 5: Mephisto and Faust in the Mädler Passage.

Page 6: Leibniz monument and university building. This monument, sculpted by Ernst Hänel in 1883, originally stood in the Paulinerhof of the university.

Photo de couverture: Le ex-grand magasin »Topas«; aujourd'hui, le bâtiment abrite la Commerzbank.

Page 2: Centre ville de Leipzig, vue aérienne.

Page 5: Méphisto et Faust dans le passage Mädler.

Page 6: Monument de Leipzig et building de l'Université. A l'origine, le monument créé par Ernst Hänel en 1883 se trouvait dans le Paulinerhof de l'Université.

© Artcolor GmbH, Hamm und Leipzig, 1995
Alle Rechte an Bild und Text vorbehalten.
Nachdruck, auch auszugsweise, nur nach vorheriger schriftlicher Genehmigung des Verlages gestattet.
Englische Übersetzung: Stephen Gorman
Französische Übersetzung: Juliane Regler
Gestaltung: Sprenger-Studios, Meißen
Gesamtherstellung: WAS Media Productions GmbH, Hamm
Printed in Germany 1995
ISBN 3-89261-184-X

Dieses Artcolor-Buch ist auf 100 % chlorfrei gebleichtem Papier (TCF) gedruckt.

Leipzig

Eine Stadt im Wandel der Zeit
Changing Times for a City
Une ville au fil du temps

Leipzig hat viele Bewunderer. Jeder kennt das Goethewort: »Mein Leipzig lob' ich mir! Es ist ein klein Paris und bildet seine Leute«, das zuerst im Faustfragment veröffentlicht wurde. Mehr als ein Jahrhundert später bemerkt Thomas Mann im »Dr. Faustus«: »Ist schon prächtig gebaut, mein Leipzig, recht wie aus einem teueren Steinbaukasten...« Beide können sich eines kritischen Untertons nicht enthalten. Während der Weimarer Dichterfürst seine Worte einem bezechten Studenten in den Mund legt, setzt Thomas Mann fort: »und dazu reden die Leute überaus teuflisch gemein, daß man vor jedem Laden scheut, ehe man was erhandelt.«

Diese Skrupel kannte der berühmteste Rechtsgelehrte der Leipziger Universität und Senior des Schöppenstuhls im 17. Jahrhundert, Benedikt Carpzow, nicht. Sein in Stammbüchern gerne verewigtes Bekenntnis lautete: »Außerhalb Leipzigs leben, heißt ein recht erbärmliches Leben führen.«

Leipzig wurden und werden zahlreiche Beinamen verliehen: Messestadt, Stadt des Buches, Musikstadt, Universitätsstadt, Residenz des Rechts, Industriestadt, Stadt der Musen, Stadt des Handels und des Verkehrs, vor wenigen Jahren sogar Heldenstadt, wobei der letzte Begriff in Berlin geprägt wurde und die Sachsen aus trüben Erfahrungen sehr vorsichtig mit allem umgehen, was aus dieser Richtung kommt.

Leipzig has many admirers. Everyone knows Goethe's words, first published in the Faust fragment, »I'm full of praise for my Leipzig! It is a little Paris and educates its citizens.« Over a century later Thomas Mann commented in »Dr. Faustus«, »It is magnificently built, my Leipzig, just as if it is constructed from an expensive set of building blocks...« Neither of the two authors could refrain from using a critical undertone. While the Weimar prince of poets put his words into the mouth of a drunken student, Thomas Mann continued, »and the people are very mean in saying that you have to look carefully at every shop before bargaining.« Benedikt Carpzow, the most famous professor of law at Leipzig University and senior of the Schöppenstuhl (chair of lay assessors) in the 17th century did not have these qualms. He declared, »Living outside Leipzig means leading a rather pitiful life« – an avowal often inscribed in family records.

In the past and up to the present day, Leipzig has been described in many ways: Exhibition Centre, City of the Book, Musical City, University City, Capital of Justice, Industrial City, Abode of the Muses, the City of Trade and Commerce, a few years ago it was even called Heroes' City, a term which was coined in Berlin, although from bitter experience the Saxons are generally very cautious concerning anything coming from that direction.

Leipzig compte de nombreux admirateurs et nul n'ignore le mot de Goethe: »Je me loue de mon Leipzig, c'est un petit Paris et qui forme son monde«, paru pour la première fois dans le fragment de Faust. Plus d'un siècle après, Thomas Mann écrivait dans son »Dr. Faustus«: »Il est superbement construit, mon Leipzig, comme s'il sortait d'une boîte de construction dispendieuse...« Notons que les deux auteurs n'ont pu réprimer un brin de critique. Tandis que le grand poète de Weimar attribue sa petite phrase à un étudiant ivre, Thomas Mann poursuit: »...et de surcroît les gens y usent d'un langage horriblement grossier, à tel point que l'on hésite devant chaque magasin avant d'y faire quelque achat.« Au XVIIe siècle, Benedikt Carpzow, le doyen du tribunal d'échevins qui était aussi le plus célèbre juriste de l'université de Leipzig, ne connaissait pas ce genre de scrupules. Sa profession de foi, souvent citée dans les livres d'or, dit ceci: »Vivre loin de Leipzig, c'est mener une vie bien pitoyable.«

Leipzig a reçu, et reçoit encore, toutes sortes de qualificatifs: ville de foire, ville du livre, ville de la musique, ville universitaire, siège du droit, ville industrielle, ville des Muses, ville du commerce et des communications; il y a quelque années, on lui donna même le titre de »ville des héros«, mais cette image fut forgée à Berlin; or, suite à quelques expériences amères, les Saxons sont devenus plutôt méfiants à l'égard des initiatives berlinoises.

Ursprünge

Die Stadt, gelegen in der nach ihr benannten Tieflandbucht, wurde nicht gerade mit Naturschönheiten verwöhnt. Aber Auenwälder, zahlreiche Flüßchen und Bäche sowie ebenes Gelände boten günstige Siedlungsbedingungen, so daß die Region mit Unterbrechungen schon seit vielen tausend Jahren von Menschen verschiedenster Herkunft bewohnt war. Im 7. Jahrhundert waren es die Slawen, die sich auf einer trockenen Erhebung, dem späteren Matthäikirchhof, ansiedelten und sich vor allem von Ackerbau und Fischfang ernährten.

Schon damals kreuzten sich in dieser Gegend Verkehrswege. Am bedeutungsvollsten waren die West-Ost-Verbindung, die spätere Königsstraße oder via regia, und die Süd-Nord-Achse, später Reichsstraße oder via imperii, deren Verlauf zwar nicht absolut stabil blieb, an deren Schnittpunkt ein Markt jedoch ständigen Gewinn versprach.

Als deutsche Herrscher im 10. Jahrhundert den heutigen sächsischen Raum unterwarfen, entstanden burgähnliche Befestigungen – sicherlich auch an einem strategisch und wirtschaftlich so bedeutenden Ort wie es der slawische Lindenort »Lipsk« war. Wenn auch nicht viel von der slawischen Bevölkerung überliefert ist – den Namen, der sich allmählich in »Leipzig« wandelte, erhielt die Stadt von ihr. Die erste Erwähnung Leipzigs hängt mit einem Trauerfall zusammen: Als der Meißner Bischof Eido reich beschenkt aus Polen zurückkehrte, gab er, wie Chronist Thietmar von Merseburg niederschrieb, am 20. Dezember 1015 »in urbe Libzi« seine Seele Christus zurück. Manch einer mißtraute dieser Angabe. So bestimmte im 17. Jahrhundert der Nürnberger Astrologe Andreas Goldmeyer aus den Sternen, daß der Grundstein Leipzigs am Sonntag, dem 16. April 551, früh um 9 Uhr 41 Minuten, gelegt worden sei.

Halten wir uns lieber an belegbare Tatsachen, wobei der Begriff »belegbar« großzügig ausgelegt werden muß. Zwischen 1156 und 1170 muß Markgraf Otto der Reiche Leipzig das Stadtrecht verliehen haben – das als Stadtbrief überlieferte Pergament ist leider nicht datiert. Dieses Dokument sichert den Bürgern Leipzigs die Befreiung von feudalen

Roots

The city, which lies in the lowland basin named after it, is not exactly over-endowed with natural beauty. However, wooded meadows, numerous streams, rivers and flatlands offered favourable conditions for settlers so that the region was – with a few interruptions – inhabited for thousands of years by people of the most different origins. In the 7th century the Slavs settled on dry, higher ground, later to become the churchyard of St. Matthew's, making a living by fishing and farming.

Even in those days thoroughfares crossed in this region. The most significant was the east-west connection, later called the Königsstrasse (King's Way) or via regia and the north-south axis which later became the Reichsstrasse (Imperial Way) or via imperii. The course of the two roads did not remain absolutely stable, but the market held at their intersection always meant good business for the stallholders there.

When German rulers subjugated what is today Saxon territory in the 10th century, they built castlelike fortifications – and certainly at such a strategically and economically important place as the Slavic »Lipsk« (place of the lime trees) was. There is not much passed down from the Slavic population apart from the name which was gradually changed to »Leipzig«. The first mention of Leipzig was in connection with a death: The chronicler Thietmar von Merseburg wrote that when Eido, the Bishop of Meissen, returned from Poland, bearing many gifts, his soul returned to Christ »in urbe Libzi« on December 20th, 1015. Many people mistrusted this statement. In the 17th century the Nuremberg astrologer Andreas Goldmeyer read in the stars that Leipzig's foundation stone was laid on April 10th, 551 at 9.41 a.m.

However, we will remain with verifiable facts, although the term »verifiable« has to be construed in a rather generous way. Margrave Otto the Rich must have awarded Leipzig the city charter between 1156 and 1170 – unfortunately the parchment which has been passed down as the charter is undated. This document assured Leipzig's citizens the exhoneration from feudal encumbrances, determined the municipal area and banned

Des origines

On ne peut pas dire que la ville, située dans la plaine qui porte son nom, ait été particulièrement gâtée en matière de beautés naturelles. Mais le terrain plat et les prés boisés parcourus de nombreux cours d'eau offrant des conditions d'habitat favorables, la région fut peuplée, avec quelques interruptions, depuis des temps très anciens. Il y eut des colonies de différentes origines et, au VIIe siècle, ce fut l'arrivée des Slaves, qui s'établirent sur une élévation – le futur Matthäikirchhof – et pratiquèrent l'agriculture et la pêche.

Dès cette époque, la contrée était un carrefour de voies de communications, dont les plus importantes étaient la liaison est-ouest, future route royale ou via regia, et l'axe nord-sud, future route impériale ou via imperii; le tracé de ces routes devait subir quelques modifications, mais le bourg situé à leur intersection promettait d'être une source de prospérité durable.

Lorsque des princes allemands s'emparèrent de la région de Saxe au Xe siècle, de nombreuses places fortes apparurent en divers endroits – ce fut certainement le cas pour Lipzk, qui occupait une position importante, tant du point de vue stratégique qu'économique. Nous savons fort peu de choses sur la population slave de ce village, mais c'est bien lui qui a donné son nom à Leipzig, moyennant quelques modifications linguistiques. La première mention de Leipzig coïncide avec un décès rapporté par le chroniqueur Thietmar von Merseburg: Eido, l'évêque de Meissen qui s'en revenait de Pologne avec quantité de cadeaux dans ses bagages, rendit son âme à Dieu »in urbe Libzi« le 20 décembre 1015. D'aucuns ont contesté cette datation. Au XVIIe siècle, l'astrologue de Nuremberg Andreas Goldmeyer s'en référa aux astres pour affirmer que la première pierre de Leipzig fut posée le dimanche 16 avril 551 à 9 heures 41 minutes du matin.

Nous nous en tiendrons plutôt aux faits vérifiables, même si la notion de »vérifiable« doit être prise au sens large. Entre 1156 et 1170, le margrave Otto le Riche octroya une charte à la ville, mais le parchemin censé être le document »ad hoc« n'est malheureusement pas daté. Ce document stipule que les citoyens sont exemptés des impôts féodaux, détermine

Lasten zu, bestimmt das Weichbild der Stadt und verbietet Märkte im Umkreis von einer Meile rund um die Stadt. Damit war die Grundlage für die Entwicklung von jährlich zwei, später drei großen Handelstreffen in Leipzig gelegt, den Messen – nach dem Gottesdienst mit heiligem Abendmahl. Zu Ostern und zu Michaelis, seit 1458 auch um Neujahr führten Handelsleute ihre Waren nach Leipzig. Besonders förderlich wirkte sich das Privileg Markgraf Dietrichs von 1268 aus, daß auch Kaufleute beschützte, mit deren Landesherren der Markgraf Krieg führte, und verbot, Güter zu beschlagnahmen und wegzunehmen.

Eines kam zum anderen: Nürnberger Kaufleute wählten Leipzig am Ende des 14. Jahrhunderts als Stapelplatz, die Beteiligung am erzgebirgischen Silberbergbau brachte Geld in die Stadt. Umtriebig, wie die Leipziger schon immer waren, ließen sie sich 1497 und 1507 von Kaiser Maximilian Reichsmesseprivilegien ausstellen. Mit einem Bannkreis von 15 Meilen, wo kein der Stadt Leipzig abträglicher Markt abgehalten werden durfte, wurden die Konkurrenten von Erfurt bis zur Oder, von der böhmischen Grenze bis Magdeburg aus dem Feld geschlagen. Jeweils 100 Jahre dauerte es, ehe Nürnberg (durch die Verlagerung der Handelswege nach der Entdeckung Amerikas ohnehin ins Hintertreffen geraten) um 1600 und Frankfurt am Main um 1700 von Leipzig überflügelt wurden.

Das Bild der Stadt in den ersten 400 Jahren ihrer Geschichte ist nicht überliefert, oder zumindest nur in Bruchstücken. Selbst die prägenden Kirchenbauten wurden Ende des 15. Jahrhunderts umgestaltet, und die Reformation bedeutete einen weiteren tiefen Einschnitt. Mit Phantasie ausgelegte schriftliche Quellen verweben sich mit Sagen und Legenden. So erzählen uns eine um 1310 entstandene polychrome Holzskulptur des in der Paulinerkirche beigesetzten Markgrafen Dietrich von Wettin und ein noch heute sichtbares übergroßes Hufeisen an der Westfassade der Nikolaikirche eine aufregende Geschichte: Dietrich, der die wettinische Herrschaft u.a. durch einen Sieg über die Heere Kaiser Albrechts I. gesichert hatte, wird am 24. Dezember 1307 auf dem Weg durch Leipzig vom Teufel verfolgt. Als er in der Ritterstraße seinem Pferd die Sporen gibt, löst sich ein Hufeisen und

markets within a one-mile radius of the city. This was the foundation for the development of two, later three, large annual trade meetings in Leipzig – the trade fairs –, held after the divine service with Holy Communion. Merchants brought their wares to Leipzig at Easter and Michaelmas and from 1458 also on New Year's Day. A privilege awarded by Margrave Dietrich in 1268 proved to be very beneficial. It protected merchants whose sovereigns were at war with the margrave and forbade their goods being taken from them and confiscated.

One thing led to another: Nuremberg merchants chose Leipzig as a storage depot at the end of the 14th century, and the participation in silver mining in the Erzgebirge brought wealth to the city. The people of Leipzig were always rather cunning, and between 1497 and 1507 they had Emperor Maximilian award them imperial privileges concerning their trade fairs. This meant that within a radius of fifteen miles no market was allowed to be held which could take trade away from Leipzig. This effectively defeated all competition from Erfurt to the River Oder and from the Bohemian border to Magdeburg. It took one hundred years before Nuremberg (which had fallen behind anyway through the transfer of trade routes after the discovery of America) was surpassed by Leipzig in 1600 and another hundred years before Leipzig outmatched Frankfurt on the Main in 1700.

Apart from some fragments there is little remaining of the first 400 years of Leipzig's architecture. Even the impressive church buildings were redesigned at the end of the 15th century, and the Reformation caused another great upheaval. Written sources combine fantasy with sagas and legends. For example, a polychrome wooden sculpture from 1310, depicting Margrave Dietrich of Wettin, who is layed to rest in the Pauline Church, and an oversized horseshoe, which can still be seen today on the west façade of Nikolai Church, tell us an exciting story: Dietrich, who had assured himself control of the House of Wettin by, among other things, securing victory over the army of Emperor Albrecht I, is followed by the devil on his way through Leipzig on December 24th, 1307. As he spurs on his horse in the Ritterstrasse, a horseshoe comes loose and is hurled

le périmètre urbain et interdit la tenue de marchés dans un rayon d'une lieue autour de la ville. C'est ainsi que furent jetées les bases des deux, puis trois, grandes rencontres commerciales annuelles qui allaient se tenir à Leipzig: les foires. Ce fut donc à Pâques, à la Saint-Michel et, à partir de 1458, aussi au Nouvel An, que les commerçants se réunissaient à Leipzig avec leurs marchandises. Le privilège accordé en 1268 par le margrave Dietrich, qui protégeait également les marchands dont les souverains étaient en guerre avec le margrave et interdisait de confisquer des marchandises, s'avéra particulièrement avantageux.

Un bien en amenant l'autre, les commerçants de Nuremberg choisirent de faire de Leipzig leur place d'entrepôt à la fin du XIVe siècle; par ailleurs, l'exploitation des mines d'argent des monts Métallifères fit également affluer des fonds dans la ville. En 1497 et en 1507, les Leipzigois, astucieux comme toujours, se firent concéder de nouveaux privilèges par l'empereur Maximilien, dont le prvilège d'entrepôt. Ils avaient donc le monopole de la foire, puisque les manifestations semblables susceptibles de leur porter préjudice étaient désormais interdites dans un rayon de 15 lieues, ce qui leur permit d'évincer tous les concurrents d'Erfurt jusqu'à l'Oder et de la frontière de Bohème jusqu'à Magdeburg. Mais il faudra cent ans jusqu'à ce que Leipzig surpasse Nuremberg (défavorisée par l'apparition de nouvelles routes commerciales qui se dessinèrent après la découverte de l'Amérique) et cent ans de plus pour évincer Francfort-sur-le-Main.

De la physionomie de la ville durant les quatre premiers siècles de son histoire nous ne connaissons, hélas!, que quelques bribes. Même les grandes églises furent transformées à la fin du XVe siècle et la Réforme apporta un changement encore bien plus radical. Quant aux sources littéraires, souvent interprétées avec beaucoup de fantaisie, elles sont émaillées de contes et de légendes. Une sculpture en bois polychrome de 1310, représentant le margrave Dietrich von Wettin inhumé dans l'église Saint-Paul, et l'énorme fer à cheval qui orne toujours la façade occidentale de l'église Saint-Nicolas sont là eux aussi pour nous raconter une étrange histoire: Dietrich, qui s'était assuré la souveraineté de Wettin en écrasant les troupes de

wird gegen die Wand der Nikolaikirche geschleudert. Wenig später sticht ihn ein Meuchelmörder vor dem Altar der Thomaskirche nieder. Fürwahr ein recht realistischer Satan!

Anfang des 15. Jahrhunderts fand die wohlhabende Bürgerstadt Leipzig mit ihren weitreichenden Handelsbeziehungen Anschluß an das Geistesleben ihrer Zeit. Nach dem Auszug deutscher Studenten und Professoren aus Prag kam es 1409 zur Gründung der Universität, die in den folgenden Jahrhunderten das Gesicht der Stadt mitbestimmte. – In der päpstlichen Bestätigungsbulle vom 9. September 1409 wird Leipzig als sichere Stadt und »großer volkreicher Ort mit einer reizenden Umgebung und gebildeten Einwohnern« gepriesen. – Bevor nach der Reformation das Dominikanerkloster der Universität zugeschlagen wurde, entstanden erste Universitätsbauten mit dem Kleinen und Großen Fürstenkolleg (Petersstraße/ Schloßstraße bzw. Ritterstraße) und allmählich entwickelte sich um die Ritterstraße ein Universitätsviertel, ein Leipziger Quartier Latin.

Nach der Leipziger Teilung der wettinischen Besitzungen 1485 gehörte die Stadt zum albertinischen Herzogtum. Obwohl in den folgenden Jahrhunderten mehrfach heiß umkämpft, konnte Leipzig den Status einer Bürgerstadt erhalten, – wenn auch um den Preis großer finanzieller Opfer: Geschenke an das eigene Herrscherhaus und riesige Kontributionen an fremde Potentaten waren bis ins 19. Jahrhundert üblich. Leipzig war leider nicht nur Ziel fremder Kaufleute, sondern zog in jedem Jahrhundert große Heerscharen an. Im 16. Jahrhundert wurde die Stadt im Schmalkaldischen Krieg belagert, im 17. Jahrhundert lieferten sich Kaiserliche Heere und Schweden im Dreißigjährigen Krieg mehrere große Schlachten und plünderten die Stadt aus, im 18. Jahrhundert, während des Siebenjährigen Krieges, zog Friedrich der Große ein und erpreßte ebenfalls Unsummen. Die Völkerschlacht Anfang des 19. Jahrhunderts schien am Ende dieser Kette kriegerischer Ereignisse zu stehen. Aber auch im 20. Jahrhundert war die Existenz Leipzigs bedroht, als die Messestadt im Zweiten Weltkrieg von Bomben der Alliierten in einem Maße zerstört wurde wie noch nie in ihrer Geschichte.

against Nikolai Church. A short time later the margrave is stabbed to death in front of the altar of St Thomas Church by an assassin. A very realistic satan indeed!

At the beginning of the 15th century the wealthy middle-class city of Leipzig with its far-reaching commercial interests made contact with the cultural life of that time. After German students and professors had left Prague, they founded the university of Leipzig in 1409 which played a part in the development of the city in the following centuries. – A papal bull from September 9th, 1409 confirms that Leipzig was a safe city and a »large populous place with lovely surroundings and educated citizens.« – Before the Dominican monastery was attached to the university after the Reformation, the first university buildings were constructed, including the small and large princely colleges (Petersstrasse/ Schloss-Strasse or Ritterstrasse respectively) and gradually a students' quarter developed around Ritterstrasse – a Leipzig Latin quarter.

After the Leipzig division of the properties of the House of Wettin in 1485, the city belonged to the Albertine Duchy. In the following years the city was hotly contested, but Leipzig was able to retain its city status – although this proved to be very costly: gifts to its own ruling houses and enormous contributions to foreign potentates were common practice into the 19th century. Unfortunately Leipzig was not just a destination for foreign merchants, it also attracted large armies over the centuries. In the 16th century the city was besieged during the Schmalkalden War in the Thirty Years' War. Imperial and Swedish forces battled against each other and plundered the city. In the 18th century, during the Seven Years' War, Frederick the Great entered the city and also demanded enormous sums of money. The Battle of the Nations at the beginning of the 19th century appeared to put an end to this chain of bellicose events. But Leipzig's existence was also threatened in the 20th century in the course of World War II, when the city was destroyed by Allied Forces' bombs in a way never seen before in its history.

Leipzig's siege by the Elector John Frederick of Saxony in 1547 enables us to study our first complete picture of the city. If we ignore the warlike embellishments such as destroyed precincts,

l'empereur Albert Ier, passait par Leipzig le 24 décembre 1307 lorsqu'il fut soudain pourchassé par le diable. Arrivé dans la Ritterstraße, il éperonna son cheval, dont un fer se détacha et fut projeté contre l'église Saint-Nicolas. Peu après, le margrave fut poignardé par un spadassin devant l'autel de l'église Saint-Thomas. En vérité, Satan avait une forme bien réelle!

Au début du XVe siècle, l'opulente cité de Leipzig jouissait de relations commerciales étendues et commença à s'affirmer dans la vie intellectuelle de son temps. L'université de Leipzig naquit en 1409, après que les étudiants et professeurs allemands eurent quittés Prague; cette institution allait profondément marquer la ville au cours des siècles suivants. – Dans la bulle papale du 9 septembre 1409, Leipzig est évoquée comme étant une ville sûre, »une grande localité comptant de nombreux habitants, avec des environs charmants et une population très cultivée«. – Avant que, dans la foulée de la Réforme, l'abbaye dominicaine ne fût rattachée à l'université, les premiers bâtiments universitaires (notamment le Petit et le Grand Collège princier) surgirent le long de la Petersstraße et de la Schloß-straße; peu à peu, tout un quartier universitaire se développa autour de la Ritterstraße, formant une sorte de Quartier latin leipzigois.

Après le partage des possessions de la maison de Wettin en 1485, la ville passa à la ligne albertine de la maison de Saxe. Bien qu'elle fît à plusieurs reprises l'objet de violents combats au cours des siècles suivants, Leipzig put conserver le statut de ville bourgeoise; mais ce fut au prix de grands sacrifices financiers: les cadeaux offerts à ses propres souverains et les contributions énormes versées à divers potentats étrangers furent pratique courante jusqu'au XIXe siècle. En effet, Leipzig n'était pas seulement une place qui attirait les commerçants étrangers, elle fut souvent la cible de grandes opérations militaires. Au XVIe siècle, la ville fut assiégée à l'occasion de la guerre de Schmalkalden; au XVIIe siècle, alors que sévissait la guerre de Trente Ans, les armées impériales et les Suédois s'y livrèrent plusieurs grandes batailles et pillèrent la cité; au XVIIIe siècle, pendant la guerre de Sept Ans, elle fut occupée par Frédéric II qui lui extorqua des sommes d'argent colossales. La bataille des

Der Belagerung Leipzigs durch Kurfürst Johann Friedrich von Sachsen 1547 verdanken wir die erste Gesamtansicht der Stadt. Wenn wir von dem kriegerischen Beiwerk wie zerstörten Vorstädten, aufmarschierten Truppen, beschädigten Mauern und Bastionen absehen, ergibt sich ein frappierendes Bild. Die städtische Grundstruktur des von Mauern und Gräben umschlossenen Gebietes – der heutigen, vom Promenadenring begrenzten Innenstadt – ist mit der Situation Ende des 19., teilweise sogar des 20. Jahrhunderts durchaus vergleichbar: Straßen und Plätze um den Markt mit dem Rathaus – damals noch ein Vorgängerbau des »Alten« Rathauses – haben sich kaum verändert; die Kirchen sind erkennbar, (wenn auch der Mittelturm der Nikolaikirche noch fehlt) und die Stadttore markieren die großen Ausfallstraßen. Nach dem Krieg wurde die Pleißenburg wieder aufgebaut und mit der Moritzbastei eine starke Bastion errichtet, von der auch heute noch wesentliche Teile vorhanden sind.

Das Stadtbild im 18. Jahrhundert

Wie könnte ein Reisender zweihundert Jahre später Leipzig gesehen haben? Kam er von Westen, mußte er notgedrungen den einzigen größeren befestigten Weg von Lindenau aus durch die von Flüßchen und Bächen durchzogene Auenlandschaft wählen. Im Weichbild der Stadt, kurz bevor er das Vorwerk Funkenburg und das Naundörfchen erreichte, passierte der Ankömmling die Frankfurter Wiesen. Die Namenswahl deutet auf die Hauptrichtung dieser Verkehrsverbindung, die als Teil der via regia jahrhundertelang einfach »Die Straße« hieß (übrigens heute noch erhalten im Ortsnamen »Steinau an der Straße« im Hessischen). Der Reisende des 18. Jahrhunderts erblickte auf einer kaum wahrnehmbaren Erhebung die auf dem Gelände des ehemaligen Franziskanerklosters (urkundlich erstmalig 1253 erwähnt) errichtete »Neu-Kirche«. Der 1502 geweihte, ursprünglich gotische Bau hatte ein dramatisches Schicksal: Nach der Reformation völlig ausgeräumt (die Glocke kam in die Nikolaikirche),

marching troops, damaged walls and bastions, we are left with a remarkable picture. The basic city structure, the areas surrounded by walls and trenches, today's inner city bordered by the Promenadenring, is absolutely comparable to the situation at the end of the 19th century, in parts even to the 20th century: streets and plazas around the market with the town hall – then still a predecessor of the »old« town hall – have hardly changed; the churches can still be recognized (even if the central tower of Nikolai Church is missing), and the city gates mark the wide arterial roads. After the war the Pleissenburg was rebuilt. Together with the Moritzbastei it created a strong bastion, many parts of which can still be seen today.

The City in the 18th Century

How could a traveller have seen Leipzig two hundred years later? If he came from the west, he would have been forced to take the only larger surfaced road from Lindenau through the meadowland bordered by streams and rivers. The newcomer entering the city's urban area, just before reaching the Funkenburg and Naundörfchen, passes the Frankfurt Meadows. The choice of name alludes to the main direction of this route which, as part of the via regia was simply called »Die Strasse« (the street) (this name is actually still found in the town called »Steinau an der Strasse« in Hessen). The 18th century traveller sees a hardly noticeable raised part of land, the »New Church« which was built on the site of the former Franciscan monastery (first mentioned in documents from 1253). This originally Gothic building, consecrated in 1502, had a dramatic fate: After the Reformation it was completely ransacked (the bell was transferred to Nikolai Church) and used for 150 years as a storeroom. In 1700 it was restored in the Baroque style, served as a prisoner of war camp until 1813 and then as a military hospital. St Matthew's Church, which was re-Gothicized at the end of the 19th century, was the only inner-city church to be completely bombed during World War II.

Nations livrée au début du XIXe siècle semblait devoir être le dernier acte de cette série guerrière. Et pourtant, l'existence de Leipzig fut à nouveau menacée au XXe siècle: durant la Seconde Guerre mondiale, les destructions causées par les bombardements des Alliés ont été les plus désastreuses de toute son histoire.

La première vue d'ensemble de la ville date de 1547, année où Leipzig fut assiégée par l'électeur Jean Frédéric de Saxe. Si nous faisons abstraction des aspects spécifiquement guerriers (faubourgs en ruine, troupes déployées en formation militaire, murs endommagés et bastions), nous obtenons une image frappante de vérité. La structure de base du territoire urbain cerné de remparts et de douves – c.-à-d. le centre ville actuel délimité par le Promenadenring – est assez comparable à celle du XIXe et même, en partie du moins, à celle du XXe siècle: les rues et les places autour du Marché dominé par l'hôtel de ville – cet édifice fut ensuite remplacé par l'«ancien» hôtel de ville – ont à peine changé; on reconnaît les différentes églises (même si la tour médiane de l'église Saint-Nicolas n'existe pas encore) et les portes de la ville coïncident avec les grandes routes de sortie actuelles. La Pleißenburg fut reconstruite après la guerre, tandis que la Moritzbastei fut transformée en un puissant bastion dont l'essentiel a été conservé jusqu'à nos jours.

La physionomie de Leipzig au XVIIIe siècle

Comment, deux siècles plus tard, le voyageur arrivant à Leipzig voyait-il la ville? S'il venait de l'ouest, il devait forcément emprunter la seule route stabilisée existante, celle de Lindenau qui passait par des prés parcourus de cours d'eaux. Aux abords de la ville, peu avant d'atteindre l'ouvrage avancé de Funkenburg et le Naundörfchen, l'arrivant traversait les Frankfurter Wiesen. Le nom se réfère à la principale direction de cette route qui fit longtemps partie de la via regia et s'appelait simplement »la route«. Sur une élévation à peine visible, le voyageur du XVIIIe siècle apercevait la »nouvelle église«, érigée sur l'aire de l'ancienne abbaye franciscaine (attestée pour la première

wurde das Gotteshaus anderthalb Jahrhunderte als Lagerschuppen benutzt. Um 1700 als Barockbau wiederhergestellt, diente es 1813 als Kriegsgefangenenlager und danach als Lazarett. Als einzige der innerstädtischen Kirchen fiel die Ende des 19. Jahrhunderts wieder gotisierte Matthäikirche den Bomben im Zweiten Weltkrieg zum Opfer.

Um zu den großen Stadtkirchen zu gelangen, konnte unser Reisender im 18. Jahrhundert die Hainstraße passieren und über den Markt gehen. St. Thomas, ehemals Gotteshaus des gleichnamigen, 1212 erstmalig erwähnten Klosters der Augustiner-Chorherren, wurde 1482–1496 zur spätgotischen Hallenkirche umgebaut und erlangte besondere Geltung durch den Chor und das Wirken hervorragender Kantoren. Von 1723, als Johann Sebastian Bach in städtische Dienste trat, (seit der Reformation bestellte der Rat der Stadt die Thomaskantoren,) bis zu seinem Tode 1750 wohnte auch Bach in der sich unmittelbar an die Kirche anschließenden Thomasschule. – Sie fiel leider wie viele Bauwerke früherer Jahrhunderte, darunter auch die alte Peterskirche am Ausgang der Petersstraße, dem Bauboom Ende des 19. und zu Beginn des 20. Jahrhunderts zum Opfer. – Die eigentliche Stadtpfarrkirche war aber die nach dem Schutzpatron der Kaufleute benannte Kirche St. Nikolai, die in den Jahren nach 1513 ebenfalls umgebaut wurde, deren trutziges Westwerk aber noch romanische Elemente aufweist. 1785–1796 gestaltete Johann Karl

In order to get to the large city churches in the 18th century, our traveller could walk along Hainstrasse and across the market square. St Thomas', formerly the church of the monastery of the Augustine male choir, first mentioned in 1212 and bearing the same name, was rebuilt into a late Gothic church from 1482-1496. It became especially famous for its choir and the activities of its outstanding choirmasters. Johann Sebastian Bach entered public service in 1723 (the town council employed the St Thomas' choirmasters since the Reformation) and remained from then until his death in 1750 in the Thomas School which was directly attached to the church. Unfortunately this building like so many others from previous centuries, including the old St Peter's Church at the end of Petersstrasse, fell victim to the building boom at the end of the 19th and beginning of the 20th century. However, the actual city parish church was the Nikolei Church named after the patron saint of merchants. It was also rebuilt in the years after 1513, its defiant western wing, however, still contains Romanesque elements. Between 1785 and 1796 Johann Carl Friedrich Dauthe rebuilt the interior in the Classicist style.

As in the centuries before, the market place formed the lively centre of the city. Fees and duties were calculated on the weighbridge at the corner of Katharinenstrasse. The market place is dominated by the Renaissance town hall which was built in 1556 by the architect and mayor at that time, Hieronymus Lotter. His ghost is

fois par un document de 1253). De style gothique à l'origine, cette église consacrée en 1502 connut une destinée dramatique: entièrement pillée après la Réforme (la cloche fut transférée à l'église Saint-Nicolas), elle servit de hangar pendant un siècle et demi. Vers 1700, elle fut reconstruite dans le style baroque; en 1813, elle abrita des prisonniers de guerre, puis servit d'hôpital militaire. Remaniée dans le style néo-gothique à la fin du XIXe siècle, elle fut la seule église du centre ville à tomber sous les bombardements de la Seconde Guerre mondiale.

Pour rejoindre les principales églises de la ville, notre voyageur du XVIIIe siècle pouvait emprunter la Hainstraße et traverser le Marché. Saint-Thomas, mentionnée pour la première fois en 1212, appartenait à l'abbaye (du même nom) des chanoines augustins; elle fut transformée en une église-halle du gothique tardif; c'est à sa chorale et à l'activité d'excellents maîtres de chapelle qu'elle doit sa renommée. A partir de 1723, année où Jean Sébastien Bach prit ses fonctions à Leipzig (depuis la Réforme, le conseil municipal désignait les cantors de Saint-Thomas), jusqu'à sa mort en 1750, Bach vécut dans l'école Saint-Thomas directement attenante à l'église. – Cette école fut malheureusement démolie, comme beaucoup d'autres édifices du passé, dont l'ancienne église Saint-Pierre au bout de la Petersstraße, dans la foulée du boom de la construction de la fin du XIXe et du début du XXe siècle. – Saint-Nicolas, qui porte le nom du patron des commerçants, était l'église paroissiale proprement dite;

LEIPZIG
Stadthaus

1785–1796 gestaltete Johann Karl Friedrich Dauthe das Innere im klassizistischen Stil um.

Wie seit Jahrhunderten, bildete der Markt den lebendigen Mittelpunkt der Stadt. In der Waage an der Ecke Katharinenstraße wurden die Gebühren und Abgaben berechnet. Dominiert wird der Markt durch das Renaissance-Rathaus, das 1556 vom Baumeister und damaligen Bürgermeister Hieronymus Lotter errichtet wurde. Hin und wieder soll sein Geist noch heute durch das Haus spuken. Lotter verstand es, Teile des gotischen Vorgängerbaus und andere Gebäude in den Neubau einzubeziehen. So entstand auch der leichte Knick an der Marktseite. Der Bau schritt damals sensationell schnell voran. Nachdem im Februar 1556 am Salzgäßchen der Grundstein gelegt worden war, konnte das Haus zur Michaelismesse des selben Jahres schon genutzt werden! Weitsichtigkeit kann man den damaligen Bauherren nicht absprechen, immerhin diente das Gebäude schon als Rathaus, als Leipzig etwa 10 000 Einwohner zählte, und wurde erst nach über 300 Jahren zu eng, als die Stadt sich zur Großstadt entwickelte.

Natürlich gab es am und im Rathaus im Laufe der Zeit Veränderungen. 1564 entstand der Altan am Turm, von dem aus übrigens 1848 der Leipziger Delegierte zur Frankfurter Nationalversammlung, Robert Blum, seine Stimme erhob, 1599 der Balkon für die Bläser, 1744 die barocke Turmhaube und Anfang dieses Jahrhunderts die steinernen Arkaden an

still said to appear occasionally to the present day. Lotter was able to incorporate parts of the previous Gothic building and other buildings into his new construction. This explains the slight kink on the market side. Building work progressed at an incredible rate for those days. After the foundation stone was laid in February 1556 in Salzgässchen, the house could already be used by Michaelmas in the same year. The planners from those days certainly cannot be accused of a lack of foresight: The building was used as a town hall when Leipzig only had around 10,000 inhabitants and only became too small more than 300 years later, when the city developed into a large metropolis.

Of course alterations were carried out in and on the town hall over the years. In 1564, the tower balcony was constructed (here the Leipzig delegate to the Frankfurt National Assembly, Robert Blum, began his speech in 1848). In 1599 the balcony for the wind players was added, in 1744 the Baroque tower roof, and at the beginning of this century the wooden stages to the market square on Grimmstrasse and Salzgässchen were replaced by stone arcades.

An inscription, which hardly anyone is able to read without risking life and limb in today's traffic turmoil, has adorned the cornice around the whole building since 1672. Translated, the inscription reads, »In the year of our Lord Jesus Christ in MDLVI during the reign of his Serene Highness, Prince August, Duke of Saxony in the Holy Roman Empire, Marshal and Prince Elector in Thuringia, Margrave to Meissen

elle fut également transformée après 1513, mais le flanc occidental massif a conservé des éléments romans; entre 1785 et 1796, Johann Karl Friedrich Dauthe en remania l'intérieur dans le style classique.

Comme par le passé, le Marché était le noyau de la vie citadine. A l'Ancien Pesage, situé au coin de la Katharinenstraße, on calculait les taxes et les redevances. L'hôtel de ville Renaissance, érigé en 1556 par l'architecte et bourgmestre de l'époque Hieronymus Lotter, domine la place du Marché. Il paraît que, de temps à autre, un esprit hante encore ces lieux. Lotter parvint à y intégrer harmonieusement des parties de l'ancien édifice gothique ainsi que des bâtiments adjacents. C'est ce qui explique la présence d'un léger coude dans la façade donnant sur le Marché. La construction progressa avec une rapidité inouïe pour l'époque: la première pierre fut posée en février 1556 dans la Salzgäßchen et, pour la foire de la Saint-Michel de la même année, le bâtiment était prêt à être utilisé! Il est clair que les architectes de jadis savaient prévoir à long terme: cet hôtel de ville date de l'époque où Leipzig comptait quelque 10 000 habitants; or, ce ne fut que trois bons siècles plus tard qu'il s'avéra trop étroit pour la métropole que Leipzig était devenue entre-temps.

Au fil du temps on y apporta néanmoins un certain nombre de modifications intérieures et extérieures. L'altane du beffroi date de 1564 (c'est de cette altane que Robert Blum, délégué de Leipzig auprès de l'assemblée nationale

Der Brühl mit dem Geburtshaus von Richard Wagner.

Brühl with the house, where Richard Wagner was born.

Le Brühl, avec la maison natale de Richard Wagner.

an der Grimmaischen Straße und am Salzgäßchen.

Seit 1672 umläuft eine Inschrift am Dachgesims das gesamte Haus, die im heutigen Verkehrsgetümmel kaum jemand ohne Gefahr für Leib und Leben lesen kann: »Nach Christi unsers Herrn Geburt im MDLVI Jahre bey Regierung des Durchlauchtigsten und Hochgebohrnen Fürsten und Herrn / Herrn Augusti Herzogen zu Sachsen / des Heil. Röm. Reichs Ertzmarschalln und Churfürstens / Landgrafens in Thüringen / Marggrafens

and Burgrave of Magdeburg, the construction of this house began in the month of March and finished in November: honour belongs alone to God. Where God does not build, those who build are building in vain, and where God does not watch over the town, the guard guards in vain. Blessed be God's name for all eternity. Amen. Renovated during the laudable reign of Elector Joh. Georg II. MDCLXXII.«

The fact that the town hall still stands – since 1909 as a museum for the history of

de Francfort, éleva la voix en 1848). En 1599, on ajouta le balcon destiné aux joueurs d'instruments à vents, en 1744 le bulbe baroque et, au début de ce siècle, les colonnades qui ont remplacé les anciennes galeries de bois sur les côtés du Marché, de la Grimmaische Straße et du Salzgäßchen.

Une inscription datant de 1672 se déroule tout le long de la corniche du toit, mais dans la cohue du trafic moderne, c'est au péril de sa vie que l'on tentera de la déchiffrer: »En l'année MDLVI après la naissance du Christ notre Seigneur, sous le règne de son Altesse et noble prince, notre maître Auguste, duc de Saxe, premier maréchal du Saint Empire romain, prince électeur et landgrave de Thuringe, margrave de Meissen et burgrave de Magdebourg, la construction de cette maison a été commencée au mois de mars et achevée fin novembre, pour la promotion du bien public en cette ville; tout l'honneur en revient au Seigneur, car là où le Seigneur ne construit pas la ville, tous ceux qui la construisent travaillent pour rien, là où le Seigneur ne veille pas sur la ville, le gardien veille pour rien; que le nom du Seigneur soit loué pour l'éternité. Amen. Sous le règne très méritoire du prince élec. Joh. Georg II. rénov. MDCL XXII.«

Si l'hôtel de ville existe encore (depuis 1909 en tant que musée d'Histoire de Leipzig), c'est grâce au vote d'un président du conseil municipal soucieux de sauvegarder le patrimoine; à la fin du XIXe siècle en effet, ce bâtiment devait être démoli pour céder la place à un Pavillon de la foire.

Dans la ville du XVIIIe siècle, l'axe nord-sud (Katharinenstraße/Marché/Petersstraße) était bordé de belles demeures baroques, témoins de la richesse de leurs propriétaires.

Les visiteurs illustres logeaient dans la Apelsche Haus, sur le côté sud du Marché. Outre les rois et les princes électeurs de Saxe, dont les visites régulières à la foire causaient bien des tracas et ne suscitaient pas toujours une joie sans mélange chez les citoyens, Pierre le Grand de Russie, le roi de Suède Charles XII, le roi de Prusse Frédéric II, le prince Schwarzenberg et bien d'autres personnalités éminentes séjournèrent dans cette maison.

Vraisemblablement, notre commerçant du XVIIIe siècle empruntait ensuite le passage du beffroi de l'hôtel de ville, le »Trou« (Loch), pour aller au Naschmarkt

zu Meißen und Burggrafens zu Magdeburg / ist in dieser Stadt zur Beförderung gemeines Nutzens dieses Haus im Monath Martio zu bauen angefangen und dasselbe im Ende des Nov: volbracht / dem Herrn sey allein die Ehre / denn wo der Herr die Stadt nicht bauet so arbeiten umsonst die daran bauen / wo der Herr die Stadt nicht bewacht / so wachet der Wächter umsonst / des Herrn Nahme sey gebenedeyet ewiglich Amen. Bey Churf. Joh. Georg II. Hochloebl. Regierung Renov. MDCL XXII.«

Daß das Rathaus noch existiert – seit 1909 als Stadtgeschichtliches Museum – ist auch einem traditionsbewußten Stadtverordnetenvorsteher zu verdanken, der am Ende des 19. Jahrhunderts den drohenden Abbruch zugunsten eines Messehauses mit seiner Stimme verhinderte.

Im 18. Jahrhundert war vor allem die Nord-Süd-Achse Leipzigs (Katharinenstraße/ Markt/Petersstraße) bereits von attraktiven Barockgebäuden gesäumt, die vom Reichtum ihrer Besitzer kündeten.

Illustre Gäste der Stadt nahmen im Apelschen Haus an der Südseite des Marktes Quartier. Neben den sächsischen Kurfürsten und Königen, deren regelmäßige Messebesuche den Leipzigern manche Last aufbürdeten und deshalb nicht nur eitel Freude auslösten, logierten und residierten dort Peter der Große von Rußland, der schwedische König Karl XII., der Preußenkönig Friedrich der Große, Fürst Schwarzenberg und viele andere hochgestellte Persönlichkeiten.

Der Händler des 18. Jahrhunderts durchschritt sicherlich auch den Durchgang am Rathausturm, das »Loch«, um die Börse am Naschmarkt zu bewundern, vielleicht auch geschäftliche Abschlüsse zu besiegeln. Als der Rat der Stadt 1678 den Bau beginnen ließ (Fertigstellung 1687), setzte er ein Zeichen für die endgültige Überwindung der verheerenden Folgen des Dreißigjährigen Krieges. Seit 1903 schmückt den Platz vor der Börse, den Naschmarkt, das Denkmal eines der berühmtesten Studenten der Leipziger Universität: Johann Wolfgang von Goethe. Geschaffen wurde es vom Leipziger Bildhauer Carl Seffner, dem wir auch die imposante Bachfigur vor der Thomaskirche verdanken. Am Sockel des Goethe-Denkmals befinden sich zwei Porträts in Medaillonform: Käthchen Schönkopf, Wirtstochter vom Brühl und

Leipzig – must be attributed to an alderman with a concern for tradition. He used his vote to block the threatened demolition which was to make way for an exhibition building at the end of the 19th century.

In the 18th century especially, Leipzig's north-south axis (Katharinenstrasse/market/Petersstrasse) was already lined with attractive Baroque houses which bore witness to their owner's wealth. Illustrious visitors to the city made their quarters in Apel's House on the south side of the market square. Besides the Saxon Electors and kings, whose regular visits to the trade fairs saddled the Leipzig people with many a burden and therefore did not exactly cause them to rejoice in the streets, other famous royalty who visited and resided in Leipzig include Peter the Great of Russia, the Swedish King Carl XII, the Prussian King Frederick the Great, Prince Schwarzenberg, and many other high-ranking personalities.

The 18th century merchant certainly also passed through the passage in the town hall tower, the »hole«, to admire the stock exchange on Naschmarkt, perhaps also to confirm business deals. When the town council had building work commence in 1678 (completed in 1687), it pointed the way to the future by finally overcoming the disastrous effects of the Thirty Years' War. Since 1903 the square in front of the stock exchange, the Naschmarkt, has been adorned with a monument to one of Leipzig University's most famous students: Johann Wolfgang von Goethe. It was created by the Leipzig sculptor Carl Seffner who was also responsible for the imposing Bach figure in front of St. Thomas' Church. There are two portraits in the form of medallions on the pedestal of the Goethe monument: Käthchen Schönkopf, daughter of an innkeeper from Brühl, and Friederike Oeser, daughter of the first head of the Leipzig School of Art, Adam Friederich Oeser. Both ladies were girlfriends of Goethe during his student days 1765–1768. The bronze prince of poets gazes over towards the entrance of what is, thanks to Goethe and his Faust, one of the most famous taverns in the world – Auerbach's Cellar. Alcohol has been served here since the 16th century when Heinrich Stromer, a professor of medicine from Auerbach in Franconia, settled here. It is said that there used to be an underground

admirer la Bourse, où il devait peut-être aussi conclure quelque affaire. Lorsque, en 1678, le conseil municipal ordonna la construction de cette Bourse (achevée en 1687), ce fut une étape décisive: on tournait définitivement la page de la guerre de Trente Ans et de ses conséquences désastreuses. Depuis 1903, la place devant la Bourse – Naschmarkt – est ornée d'un monument dédié au plus célèbre étudiant de l'université de Leipzig: Johann Wolfgang von Goethe. La statue est l'oeuvre d'un sculpteur local, Carl Seffner, auquel nous devons aussi l'imposante figure de Bach devant l'église Saint-Thomas. Sur le socle du monument à Goethe, deux portraits en forme de médaillon: Käthchen Schönkopf, la fille d'un aubergiste du Brühl, et Friederike Oeser, fille du premier directeur de l'Académie des Beaux-Arts de Leipzig, Adam Friedrich Oeser; toutes deux étaient des amies de Goethe à l'époque de ses études, entre 1765 et 1768. La statue en bronze du grand poète lance un regard vers l'entrée d'une taverne légendaire, qui doit sa renommée au »Faust« de Goethe: la cave d'Auerbach (»Auerbachs Keller«). Ce débit de boissons existait déjà au XVIe siècle, à l'époque où le professeur de médecine Heinrich Stromer, originaire de Auerbach en Franconie, s'établissait en ces lieux. Un passage souterrain reliait la taverne à l'hôtel de ville; c'est par ce passage que les dignes conseillers municipaux se faisaient servir en toute discrétion ce que la cuisine et la cave d'Auerbach pouvaient leur offrir de meilleur.

L'apogée économique et culturelle

L'essor économique de Leipzig prit de l'ampleur vers la fin du XVIIe siècle. Même l'épidémie de peste de 1680/81, qui décima dix pour cent de la population, ne put entraver cette expansion. Les nombreux commerçants juifs qui affluèrent à Leipzig malgré les mesures restrictives y jouèrent un rôle non négligeable. Mais le fait qu'à certaines périodes ces Juifs furent contraints de porter un bout de tissu jaune – on leur interdisait aussi de louer des locaux commerciaux donnant sur la rue – nous apparaît

Reichsstraße 1907.

Reichsstrasse 1907.

La Reichsstraße en 1907.

Friederike Oeser, Tochter des ersten Direktors der Leipziger Kunstakademie, Adam Friedrich Oeser, beides Freundinnen Goethes in den Studentenjahren 1765–1768. Der Blick des bronzenen Dichterfürsten schweift hinüber zu der Stelle, wo sich der Eingang zu einer der – dank Goethe und seinem »Faust« – bekanntesten Gaststätten der Welt befindet: Auerbachs Keller. Der Ausschank existiert bereits seit dem 16. Jahrhundert, als der aus dem fränkischen Auerbach stammende Medizinprofessor Heinrich Stromer sich hier niederließ. Zwischen Rathaus und Weinausschank soll ein unterirdischer Gang existiert haben, der es den würdigen Ratsherren ermöglichte, sich, ohne Aufmerksamkeit zu erregen, mit dem versorgen zu lassen, was Küche und Keller boten.

Jahrhunderte des Aufschwungs

Gegen Ende des 17. Jahrhunderts verstärkte sich der wirtschaftliche Aufschwung in Leipzig. Selbst die Pestepidemie 1680/81, der zehn Prozent der Einwohner zum Opfer fielen, konnte diese Entwicklung nicht stoppen. Einen relativ großen Anteil daran hatte der Zustrom jüdischer Kaufleute, der sich trotz restriktiver Maßnahmen nicht eindämmen ließ. Es liest sich heute wie ein böses Omen, daß Juden zeitweise ein Stück gelbes Tuch tragen mußten und

passage between the town hall and the tavern which enabled the honourable aldermen to be served with all that kitchen and wine cellar had to offer without drawing attention to themselves.

Leipzig's Economic and Intellectual Heyday

The economic upswing in Leipzig increased towards the end of the 17th century. Even the plague of 1680/81 which decimated the population, could not stop this development. An influx of Jewish merchants played a large part in the economic growth despite restrictive measures designed to keep their numbers low. Today it reads like a terrible omen that Jews at times had to wear a piece of yellow cloth and that they were forbidden from renting sales areas facing the street. In spite of this they made their mark on the trade fairs during the whole 18th and 19th centuries. A similar case were the Protestants driven out of France who, although they did not get the same support as in Brandenburg-Prussia, produced several important Leipzig families such as Dufour-Feronce and Sellier. A few Leipzig merchants were even raised to nobility by the Emperor. They would then buy large country estates in addition to their town houses – the Hohmann family, nobility in Hohental since 1717 are a significant example of this.

aujourd'hui comme un funeste présage. Néanmoins, ils ont profondément marqué les foires du XVIIIe et du XIXe siècle. Il en allait plus ou moins de même pour les huguenots chassés de France qui, s'ils n'obtinrent pas en Saxe autant d'encouragements qu'en Prusse et dans le Brandebourg, formèrent cependant certaines des plus importantes familles de Leipzig, comme les Dufour-Feronce et les Sellier. Certains commerçants leipzigois furent même annoblis par l'empereur; outre leurs résidences citadines, ils se dotèrent de grandes propriétés dans la campagne environnante: les Hohmann, depuis 1717 Edle von Hohenthal, en fournissent un exemple éloquent.

Il nous faut à présent évoquer un aspect qui, dès le XVIe siècle, fut déterminant pour le développement de Leipzig: grâce aux activités de ses libraires et de ses éditeurs, la ville était devenue le centre de l'édition et du commerce des livres pour l'Allemagne toute entière. A l'époque de Johann Christoph Gottschedt et de Christian Fürchtegott Gellert, Leipzig passait même pour être la »capitale littéraire de l'Allemagne«. Ces deux écrivains, qui étaient professeurs à l'université, contribuèrent à renforcer le rayonnement de cette vénérable institution; jusqu'alors en effet, les étudiants géniaux tels que Gottfried Wilhelm Leibniz ou les érudits comme Christian Thomasius – le premier à donner des cours en allemand en 1687 – avaient peu de chances de s'imposer face à la scholastique dominante.

La prospérité due à l'essor du commerce ainsi que le prestige croissant de l'univer-

Das alte Gewandhaus.

The old Gewandhaus.

L'ancien Gewandhaus.

Das alte Leipzig.

Das alte Gewandhaus in der Universitätsstraße,
abgebrochen i. J. 1895.

Stück gelbes Tuch tragen mußten und ihnen verboten war, offene Kaufgewölbe zur Straße hin zu mieten. Trotzdem prägten sie das Bild der Messen während des ganzen 18. und 19. Jahrhunderts. Ähnlich verhielt es sich mit den aus Frankreich vertriebenen Protestanten, die zwar in Sachsen nicht so gefördert wurden wie in Brandenburg-Preußen, von denen einige wie Dufour-Feronce und Sellier aber zu den bedeutendsten Leipziger Familien zu rechnen waren. Manch Leipziger Kaufmann wurde sogar vom Kaiser geadelt und erwarb neben seinen Stadthäusern noch großen Landbesitz in der Umgebung – die Hohmanns, seit 1717 Edle von Hohenthal, sind dafür ein signifikantes Beispiel.

Wegweisend für fast dreihundert Jahre Stadtentwicklung war, daß durch das Wirken der Leipziger Buchhändler und Verleger die Stadt zum wichtigsten Verlags- und Umschlagsort für Bücher in Deutschland wurde. Zu Zeiten Johann Christoph Gottscheds und Christian Fürchtegott Gellerts wurde Leipzig sogar als »literarische Hauptstadt Deutschlands« betrachtet. Als Professoren an der Universität halfen die beiden mit, der Alma mater größere Anziehungskraft zu verleihen. Bis dahin hatten geniale Studenten wie Gottfried Wilhelm Leibniz oder Gelehrte wie Christian Thomasius, der 1687 erstmals Vorlesungen in deutscher Sprache gehalten hatte, kaum Chancen, sich gegen die herrschende Scholastik durchzusetzen.

Mit der Ausweitung des Umfangs der Handelsbeziehungen und den daraus

Pathbreaking for the almost three-hundred-year development of the city were the activities of the Leipzig booksellers and publishers who made the city Germany's most important place for publishing and transshipment. Leipzig was even regarded as »the literary capital of Germany« at the time of Johann Christian Gottschedt and Christian Fürchtegott Gellert. Both were professors at the university and helped give the Alma Mater its strength of attraction. Before this, brilliant students such as Gottfried Wilhelm Leibnitz or scholars like Christian Thomasius, who held the first lectures in the German language in 1687, had little chance of winning recognition against the prevailing scholasticism.

An increase in the scope of Leipzig's trade connections and the profits resulting from this, the improving reputation of the university and increasing numbers of students soon made the »cultural« life more varied and extensive. The city had played a very notable role in the area of music and theatre since the days of Johann Sebastian Bach and Caroline Neuber. The first opera house existed in Brühl from 1693 to 1720. After this performances took place in the Reithaus beside the Ranstädter Gate, before the Alte Theater (Old Theatre) was opened in 1766 – among the audience for the premiere was a young Goethe. There were also concerts in taverns and coffee shops. After Georg Philipp Telemann, who founded the Collegium Musicum in 1702, Johann Sebastian Bach continued these concerts from 1792 beside his work as a

sité et l'afflux d'étudiants profitèrent largement à la vie culturelle de Leipzig. Depuis l'époque de Jean Sébastien Bach et de Caroline Neuber, la ville jouait un rôle éminent dans le domaine de la musique et du théâtre. Un premier Opéra sur le Brühl fonctionna de 1693 jusqu'en 1720, puis on monta des spectacles dans le Reithaus, près de la porte de Ranstadt. Enfin, en 1766, on inaugura l'Ancien Théâtre: lors de la grande première, le jeune Goethe était parmi le public. Les auberges et les cafés de la ville organisaient des concerts. Après Georg Philipp Telemann, qui avait fondé le Collegium musicum, Jean Sébastien Bach assura la poursuite de ces concerts à partir de 1729, parallèlement à ses activités de maître de chapelle de Saint-Thomas. Le »Große Konzert« vit le jour en 1734; c'est pour cet orchestre que l'on installa, en 1781, une salle de concerts dans les combles du siège de la corporation des drapiers. Depuis lors, les Leipzigois vont écouter de la musique au »Gewandhaus«, même si la première salle n'existe plus depuis longtemps. A la fin du XIXe siècle en effet, on inaugura une nouvelle salle de concerts somptueuse, officiellement baptisée »Neues Concerthaus«, mais la population continue à l'appeler »Gewandhaus«.

Au début du XIXe siècle, personne ne pouvait prévoir les événements qui allaient ébranler la ville au cours des décennies suivantes: d'abord ce furent des soldats de tous bords qui envahirent les routes. Les ambitions expansionnistes de Napoléon Bonaparte menacèrent aussi les relations commerciales de Leipzig qui

LEIPZIG   Magdeburger u. Dresdener Bahnhof

Dr. Trenkler Co., Leipzig. 1903. 26

Ansehen der Universität und zunehmenden Studentenzahlen wurde auch das »kulturelle« Leben reichhaltiger und vielseitiger. Seit den Tagen Johann Sebastian Bachs und Caroline Neubers spielte die Stadt auf dem Gebiet von Musik und Theater eine beachtliche Rolle. Ein erstes Opernhaus am Brühl bestand von 1693 bis 1720, danach wurde im Reithaus neben dem Ranstädter Tor aufgeführt, ehe 1766 das Alte Theater eröffnet wurde – unter dem Premierenpublikum auch der junge Goethe. Konzerte gab es in Gast- und Kaffeehäusern. Nach Georg Philipp Telemann, der 1702 das Collegium musicum gegründet hatte, setzte Johann Sebastian Bach neben seinem Wirken als Thomaskantor diese Konzerte ab 1729 fort. 1743 entstand das »Große Konzert«, für das schließlich 1781 ein eigener Konzertsaal im Dachboden des Innungsgebäudes der Tuchmacher errichtet wurde. Seitdem gehen die Leipziger ins Gewandhaus – auch heute noch, obwohl dieser erste Saal längst nicht mehr existiert. Als Ende des 19. Jahrhunderts ein prachtvolles Konzertgebäude entstand, nannte man es offiziell »Neues Concerthaus«, allerdings blieben die Leipziger beim Begriff »Gewandhaus«.

Anfang des 19. Jahrhunderts konnte niemand ahnen, was in den nächsten Jahrzehnten auf die Stadt zukommen sollte: Zunächst beherrschten Soldaten aus aller Herren Länder die Straßen. Die Weltmachtbestrebungen Napoleon Bonapartes brachten mit der gegen England verhängten Kontinentalsperre auch die Leipziger Handelsbeziehungen in Gefahr.

choirmaster at St Thomas'. In 1743 the »Great Concert« was created for which a separate concert hall was finally built in the attic of the clothmakers' guild hall. Since then Leipzig concertgoers gather in the Gewandhaus (Garment House) – even today, although this first hall was demolished a long time ago. When a magnificent new concert hall was built at the end of the 19th century, it was officially named the »New Concert House«, however, the Leipzig people still keep the term »Gewandhaus«.

At the beginning of the 19th century no one could guess what was to happen to the city in the next decades: First, soldiers from all over the world ruled the streets. Napoleon Bonaparte's ambition of controlling the world and the Continental Blockade against England endangered Leipzig's trade relations. It would have been no great consolation to the citizens that they could regard themselves as royal subjects – the Saxon Elector had been made king by Napoleon. However, the upswing (especially that of the Saxon textile manufacturers who were protected against the overpowering English competition) seems to have made up for the losses.

According to the terms of the Vienna Congress, Saxony lost a considerable part of its territory to Prussia because it was an ally of Napoleon – and Leipzig suddenly found itself almost in the situation of being a »border town«, but especially in this time foundations were laid for new positive economic trends. However, this development was hemmed by the

eut à pâtir du blocus continental décrété contre l'Angleterre. En 1806, l'électeur de Saxe fut proclamé roi par Napoléon et les Leipzigois devinrent sujets royaux, sans doute une piètre consolation pour les citoyens. Et pourtant, comme le redoutable concurrent britannique avait été écarté, la ville connut un bel essor économique, notamment au niveau de l'industrie textile, ce qui semble avoir largement compensé d'autres inconvénients inhérents à cette situation politique.

Certes, la Saxe était un allié de Napoléon et après le Congrès de Vienne elle dut céder d'importantes parties de son territoire à la Prusse, de sorte que Leipzig se retrouva soudain dans la position de »ville frontalière«, mais c'est durant ces années troubles que furent jetées les bases des nouvelles tendances économiques porteuses d'avenir. Pendant quelque temps, cette évolution fut freinée par la conjoncture politique, une lourde charge fiscale et une censure rigoureuse. Une ambiance explosive couvait dans la ville et la colère populaire éclata finalement en septembre 1830: inspirés par l'exemple de la révolution de juillet à Paris, les citoyens se révoltèrent et chassèrent les forces de police, exécrées pour leur arrogance et leur brutalité. – Un écolier de 17 ans figurait parmi les manifestants: c'était Richard Wagner. – Les événements prirent une tournure particulièrement dramatique lorsque les compagnons artisans s'attaquèrent aux machines à vapeur et aux machines à imprimer qui avaient causé la perte de leur emploi. Suite à ces heurts

Den Bügern dürfte es kein Trost gewesen sein, daß sie sich ab 1806 als königliche Untertanen fühlen konnten, war doch der sächsische Kurfürst von Napoleon zum König erhoben worden. Der Aufschwung, besonders der vor dem übermächtigen englischen Konkurrenten geschützten sächsischen Textilmanufakturen, scheint aber diese Verluste mehr als ausgeglichen zu haben.

Zwar verlor Sachsen nach dem Wiener Kongreß als Bündnispartner Napoleons beträchtliche Teile seines Territoriums an Preußen – und Leipzig befand sich plötzlich fast in der Lage einer »Grenzstadt« –, aber gerade in dieser Zeit wurden die Grundlagen für neue positive Wirtschaftstrends gelegt. Allerdings hemmten die politischen Verhältnisse, hohe Steuern und eine rigide Zensur diese Entwicklung. In Leipzig entstand eine explosive Stimmung, die sich im September 1830 gewaltsam Luft machte: Das Beispiel der Pariser Julirevolution vor Augen, ließen sich die Bürger das rücksichtslose und arrogante Auftreten der Polizei nicht mehr gefallen und vertrieben die bewaffnete Macht. – Der 17jährige Schüler Richard Wagner gehörte zu den Demonstranten. – Besonders gefährlich wurde es, als sich die Handwerksgesellen gegen die modernen Dampf- und Druckmaschinen wandten, die den Verlust ihrer Arbeitsplätze verursacht hatten. Im Gefolge dieser Auseinandersetzungen ging die Verantwortung für die Polizei an die Stadt über. Am 30. Oktober 1830 konstituierte sich in Leipzig die erste Stadtverordnetenversammlung Sachsens

political situation, high taxes and rigid censorship. In Leipzig a dangerous atmosphere arose which violently exploded in September 1830: Taking the Parisian Revolution as an example, the citizens no longer wanted to put up with the thoughtless and arrogant manner of the police and so they drove out the armed forces. – The seventeen-year-old pupil Richard Wagner was one of the demonstrators. – The situation became especially dangerous as the journeymen turned against the modern printing and steam machines which had caused them to lose their jobs. In the wake of this confrontation the responsibility for the police force was handed over to the city. On October 30th, 1830, Saxony's first municipal council assembly convened in Leipzig, and after the council stepped down in April 1831 there was also a council committee elected. Up until then the council had absolute power to complement itself.

The freedom which was thus gained and the cosmopolitan attitudes which were furthered by the trade fairs made Leipzig a leading light in the developing socio-political changes. Here, where one of the world's first newspapers appeared in 1660 with the »newly arrived news from war and trade«, dozens of papers were published. They were kept less on leading-strings than anywhere else in Germany by censors who had now become more careful. Numerous democratic currents were formed, gathering around either the radical theatre secretary Robert Blum or the more moderate

violents, l'administration de la police fut transférée à la ville. Le 30 octobre 1830, Leipzig vit se constituer la première assemblée de conseillers municipaux de Saxe et, après la démission du conseil municipal en avril 1831, il y eut même un collège de conseillers élus; jusqu'alors, c'était de sa propre autorité que le conseil désignait ses membres.

Entre 1815 et 1848, forte de ses nouvelles libertés et de son ouverture sur le monde favorisée par les activités de la foire, Leipzig devint le pionnier des grands changements politiques et sociaux qui se préparaient un peu partout en Allemagne. Dans cette ville qui, dès 1660, avait vu paraître un des premiers journaux du monde, »Nouvelles informations des affaires militaires et commerciales mondiales«, on publiait à présent des douzaines de gazettes relativement peu surveillées par une censure désormais plus clémente que dans d'autres régions allemandes. De nombreux mouvements démocratiques virent le jour; les deux figures de proue en étaient Robert Blum, un secrétaire de théâtre radical, et Karl Biedermann, un professeur d'université modéré. Lors de la visite du prince héritier Jean en 1845, la méfiance vis-à-vis de la politique conservatrice de la cour de Dresde suscita des actions de protestation qui dégénérèrent en violences: les soldats tuèrent sept citoyens, un meurtre qui est entré dans l'histoire sous le nom de »carnage de Leipzig«.

A l'instar d'autres régions allemandes économiquement avancées, Leipzig et la Saxe furent de nouveau en première

Altes Theater.

Old Theatre.

Ancien Théatre.

und nach der Abdankung des Rates im April 1831 auch ein gewähltes Ratskollegium; bis zu diesem Zeitpunkt hatte sich der Rat in eigener Machtvollkommenheit selbst ergänzt.

Die errungenen Freiheiten und die durch den Messehandel geförderte Weltoffenheit machten Leipzig im Vormärz zum Vorreiter bei den sich anbahnenden gesellschaftspolitischen Veränderungen. Hier, wo 1660 mit den »Neu einlaufenden Nachrichten von Kriegs- und Welthändeln« eine der ersten Zeitungen der Welt erschien, wurden Dutzende Blätter herausgegeben, die von einer nun vorsichtigeren Zensurbehörde weniger als anderswo in Deutschland gegängelt wurden. Zahlreiche demokratische Strömungen entstanden, die sich entweder um den radikalen Theatersekretär Robert Blum oder um den gemäßigten Universitätsprofessor Karl Biedermann scharten. Mißtrauen gegenüber der konservativen Politik des Dresdner Hofes führte beim Besuch des Kronprinzen Johann 1845 zu Protesten, die schließlich eskalierten. Die Ermordung von sieben Bürgern durch Soldaten ging als »Leipziger Gemetzel« in die Geschichte ein.

Auch in der Revolution von 1848/49 gingen Leipzig und Sachsen wie andere ökonomisch fortgeschrittene deutsche Territorien voran. Nicht ohne Grund war von hier aus die erste deutsche Ferneisenbahnstrecke zwischen der Messestadt und Dresden initiiert und gebaut worden. Mit ihrer feierlichen Eröffnung am 7. April 1839 war der Weg frei für die Entwicklung eines Verkehrssystems, in

university professor Karl Biedermann. Distrust of the conservative politics of the Dresden Court led to protests during the visit of Crown Prince Johann in 1845 which eventually escalated. The murder of seven citizens by soldiers went down in history as the »Leipzig Massacre«.

During the 1848/49 revolution, Leipzig and Saxony progressed like other economically developed German territories. It was not just chance which led to the first German long-distance railway line being initiated and built between Leipzig and Dresden. The ceremonious opening on April 7th, 1839 cleared the way for the development of a transport system which again had Leipzig as the German centre. In 1842 the first section of the connection to Bavaria was opened. The portico of the Bavarian Station, which was built in those days, is still standing.

Many of the free-thinkers who were persecuted after the thwarted revolution openly admitted to their past after they had served their prison sentences. Several of them (including the naturalist and popular author Emil Adolf Rossmässler) met regularly in a tavern in Brühl. They called themselves the Verbrechertisch (table of criminals) and it was an honour for any guest to be invited to have a drink with them. One of those who still remembered those goings-on years later was August Bebel. In those days Leipzig also became a centre for the German Labour Movement. In 1863, Ferdinand Lasalle founded the »Allgemeine Deutsche Arbeiterbewegung«

ligne durant la révolution de 1848/49. Ce n'était pas par hasard qu'on y avait construit la première grande ligne de chemin de fer allemande reliant la ville de foire à Dresde. Le 7 avril 1839, son inauguration solennelle ouvrit la voie au développement d'un vaste réseau de communications au centre duquel se trouvait, encore une fois, Leipzig. Le premier tronçon de voie vers la Bavière fut mis en service en 1842 (le portique de la gare bavaroise est toujours debout).

Dès qu'ils eurent purgé leur peine, les libres penseurs poursuivis après l'échec de la révolution furent nombreux à se déclarer solidaires de leurs convictions passées. Certains d'entre eux (notamment le naturaliste et écrivain populaire Emil Adolf Roßmäßler) se réunissaient régulièrement dans une taverne du Brühl. C'était un honneur que d'être invité à leur table, qu'ils avaient baptisée »table des criminels«. Un des hôtes qui devait s'en souvenir pendant longtemps fut August Bebel. A cette époque, Leipzig devint également un centre du mouvement ouvrier allemand. C'est ici, dans l'établissement »Panthéon«, que Ferdinand Lassalle fonda en 1863 l'Association générale des travailleurs allemands, tandis que le jeune mouvement social-démocrate ne cessait de gagner du terrain. Quant à Karl Marx, il figure dans les registres de l'église Saint-Thomas en tant que parrain du petit Karl, fils de Wilhem Liebknecht.

Les années 60 virent naître un mouvement qui, partant de Leipzig, devait

dessen deutschem Mittelpunkt wiederum Leipzig lag. 1842 wurde die erste Teilstrecke der Verbindung nach Bayern befahren, vom damals entstandenen Bayerischen Bahnhof ist noch der Portikus vorhanden.

Viele der Freigeister, die nach der gescheiterten Revolution verfolgt wurden, bekannten sich nach Verbüßung ihrer Strafen offen zu ihrer Vergangenheit. Einige von ihnen (darunter auch der Naturforscher und Volksschriftsteller Emil Adolf Roßmäßler) trafen sich regelmäßig in einer Gastwirtschaft am Brühl. Ihren Tisch nannten sie »Verbrechertisch«, und es war für jeden Gast eine Ehre, dort zu einem Trunk eingeladen zu werden. Einer, der sich daran noch nach Jahrzehnten erinnerte, war August Bebel. In dieser Zeit wurde Leipzig auch zu einem Zentrum der deutschen Arbeiterbewegung. Ferdinand Lassalle gründete hier 1863 im Etablissement »Pantheon« den »Allgemeinen Deutschen Arbeiterverein«, und die junge sozialdemokratische Bewegung gewann immer stärkere Positionen. Als Taufpate des Sohnes von Wilhelm Liebknecht, Karl, ist in den Unterlagen der Thomaskirche auch Karl Marx verzeichnet.

In den sechziger Jahren entstand eine Bewegung, die von Leipzig ausgehend ganz Deutschland erfaßte: Für die in ungesunden Wohnverhältnissen lebenden Stadtkinder wurden Spiel- und Tummelplätze angelegt, die bald durch Beete ergänzt wurden. Benannt nach dem Arzt Daniel Gottlieb Moritz Schreber, wurden »Schrebergärten« in den folgenden

(Popular German Labour Movement) in the »Pantheon« bar, and the fledgling social-democratic movement increasingly gained importance. Karl Marx is also written down in the annals of St Thomas' Church as being the godfather of Wilhelm Liebknecht's son Karl.

In the 1860s a movement arose in Leipzig which soon encompassed the whole of Germany. Playgrounds were laid out for the children living in unhealthy conditions in the cities. Those play areas were soon complemented by vegetable patches. In the following decades these Schrebergärten or allotments, named after Doctor Daniel Gottlieb Moritz Schreber, became the green lung of the cities and in times of need – for example after World War II – an absolute necessity for supplying the citizens with fresh vegetables.

Modern Times

In the last quarter of the 19th century, as Leipzig's population rose to over 100,000 and the city became a metropolis, city development increased at a pace never known before. Large factories were built to the east and west of the old city centre, making Leipzig an important industrial centre. The prosperous development of the city and the trade fair was reflected in a building boom without comparison. The Reichsgericht, the supreme German court, moved to Leipzig. The central station which took over from the

s'étendre à toute l'Allemagne: la création d'aires de jeux pour les enfants de la ville qui vivaient dans des conditions insalubres. Ces aires – nommées »Schrebergärten« d'après le médecin Daniel Gottlieb Moritz Schreber –, se transformèrent rapidement en jardinets et devinrent de véritables poumons verts pour la ville; en temps de crise – notamment après la Seconde Guerre mondiale – ils s'avérèrent particulièrement utiles au ravitaillement des citoyens.

L'époque moderne

Durant le dernier quart du XIXe siècle, lorsque la population eut dépassé le seuil des 100 000 habitants, Leipzig accéda au rang de grande ville et connut un formidable développement urbain. De grandes fabriques surgirent à l'est et à l'ouest du vieux centre ville, faisant de Leipzig un important site industriel. L'expansion de la ville et de la foire s'accompagna d'un boom de la construction sans précédent.

La Cour suprême du Reich, le plus important tribunal d'Allemagne, s'installa à Leipzig. Remplaçant les petites gares de la première heure, la nouvelle gare centrale est longtemps demeurée la plus grande d'Allemagne (notamment en raison de la nécessaire parité Prusse/Saxe). L'Union boursière des libraires allemands fondée à Leipzig en 1825 s'associa à la Librairie allemande pour créer la Bibliothèque nationale allemande. Du coup, l'administration municipale ne voulut pas

»Schrebergärten« in den folgenden Jahrzehnten zu den grünen Lungen der Großstadt und in Notzeiten – wie nach dem Zweiten Weltkrieg – unverzichtbar für die Versorgung der Bürger.

Moderne Zeiten

Im letzten Viertel des 19. Jahrhunderts, als die Einwohnerzahl Leipzigs 100 000 überschritten hatte und die Stadt zur Großstadt geworden war, setzte eine stürmische Stadtentwicklung ein wie kaum je zuvor. Im Osten und Westen des alten Stadtkerns entstanden große Werke und machten Leipzig zu einem bedeutenden Industriestandort. Die prosperierende Entwicklung der Stadt und der Messe schlug sich in einem Bauboom ohnegleichen nieder.

Mit dem Reichsgericht zog das oberste deutsche Gericht in Leipzig ein. Der Hauptbahnhof, der die Richtungsbahnhöfe aus der Urzeit der Eisenbahn ablöste, blieb lange Zeit der größte in Deutschland (unter anderem auch wegen der notwendigen preußisch-sächsischen Parität). Der 1825 – selbstverständlich in Leipzig – gegründete Börsenverein des Deutschen Buchhandels schuf mit der Deutschen Bücherei die Deutsche Nationalbibliothek. Da wollte die Stadtverwaltung nicht zurückstehen. Auf dem Gelände der Pleißenburg ließ sie das Neue Rathaus errichten, dessen Turm über ein halbes Jahrhundert alle anderen Bauwerke der Stadt überragte. Nach dem Ersten Weltkrieg setzte sich diese Tendenz – allerdings abgeschwächt – fort, obwohl manche Großprojekte (vielleicht glücklicherweise!) nicht realisiert werden konnten.

Weltwirtschaftskrise und nationalsozialistische Diktatur unterbrachen diese Entwicklung abrupt. Der Terror gegen die Arbeiterorganisation und die jüdischen Bürger der Stadt sowie die Umstellung der Industrie auf Rüstungsproduktion – Leipzig wurde u.a. ein Zentrum des Baus von Kriegsflugzeugen – führten die Messestadt in die schwerste Katastrophe ihrer Geschichte. Als der Krieg auf Deutschland zurückschlug, vernichteten elf Großangriffe der britischen und amerikanischen Luftflotten 60% der innerstädtischen Bausubstanz sowie 40% aller Wohnungen; 6000 Leipziger verloren ihr Leben. Dem Unterdrückungssystem

through stations, which were built when railway travel first began, was, for a long time, Germany's largest (amongst other things because of the necessary Prussian-Saxon parity). The Association of the German Book Trade, formed in 1825 – in Leipzig of course –, together with the German Library created the German National Library. The city council could not be seen doing nothing. On the Pleissenburg site they had the new town hall built, whose tower stood higher than any other building in the city for more than half a century. This tendency continued – rather less strongly – after World War I, although many larger projects could not be realized (perhaps just as well).

The worldwide economic crisis and national socialist dictatorship put an abrupt end to this development. Terrorization of the Labour organization and the Jewish citizens as well as the switchover of industry to weapon production – Leipzig became among other things a leading producer of war planes – brought the city to the worst catastrophe in its whole history. When war hit back at Germany, eleven major air attacks by British and American forces destroyed sixty per cent of the buildings in the inner city as well as forty per cent of all houses and flats; 6,000 Leipzig inhabitants lost their lives. Hundreds of anti-fascists including the former Lord Mayor Carl Goerdeler and thousands of Jewish citizens fell victim to National Socialist repression.

In 1945 the city was first occupied by American troops and then annexed into the Eastern Bloc with all the consequences attached to being part of the Soviet Zone of occupation. The people of Leipzig began with great enthusiasm to rebuild their industry, revive the trade fairs and reopen the university, the cultural institutions and other public buildings. Since Leipzig was the second largest East German city, from 1952 district capital, an important university city and home of technical colleges with a considerable number of foreign students, organizer of the world fairs and East German athletic and sports events, the Iron Curtain was not closed quite as tightly here as in other parts of the country. But still Socialism controlled from Berlin began to even out the special characteristics which the city had

demeurer en reste. Sur le terrain de la Pleißenburg, elle fit construire le nouvel hôtel de ville, un bâtiment dont la haute tour a dominé la ville pendant un bon demi-siècle. Après la Première Guerre mondiale, les grands travaux urbanistiques connurent un léger ralentissement et certains plans restèrent à l'état de projet, mais ce fut peut-être une chance!

La crise économique mondiale et la dictature national-socialiste ont brutalement interrompu ce développement. La politique de terreur menée contre le mouvement ouvrier et les citoyens juifs, ainsi que la reconversion de l'industrie désormais affectée à la production d'armements Leipzig devint notamment un centre de la construction d'avions de guerre – entraînèrent la ville vers la plus terrible catastrophe de son histoire. Lorsque la guerre vint frapper l'Allemagne, onze raids aériens de grande envergure menés par les Britanniques et les Américains suffirent à détruire 60% du centre ville et 40% de tous les logements; 6000 personnes périrent dans les bombardements. Quant au système de répression national-socialiste, il fit des centaines de morts parmi les antifascistes, dont l'ancien premier bourgmestre Carl Goerdeler, et des milliers de victimes parmi les citoyens juifs.

D'abord occupée par les troupes américaines en 1945, la ville se trouvait dans la zone d'occupation soviétique et fut donc intégrée au bloc communiste. Cependant, dans un élan formidable, la population de Leipzig s'est attelée à la reconstruction: relance de l'industrie et de la foire, réouverture de l'université, des lieux culturels et autres services publics. Leipzig est devenue la deuxième ville de RDA et, à partir de 1952, chef-lieu de district; en tant que grande ville universitaire accueillant un nombre élevé d'étudiants étrangers, en tant qu'organisateur des foires internationales et des principales manifestations sportives et gymniques de la RDA, les effets du Rideau de fer y ont été moins sensibles qu'ailleurs. Néanmoins, la construction du socialisme dirigée depuis Berlin a contribué à niveler les particularités historiques de la cité. Avec le délabrement des constructions traditionnelles et l'utilisation quasi exclusive du béton en plaques peu modulable, la ville a failli perdre son caractère spécifique.

Antifaschisten, unter ihnen auch der ehemalige Oberbürgermeister Carl Goerdeler, und Tausende von jüdischen Bürgern zum Opfer.

1945 zunächst von amerikanischen Truppen besetzt, wurde die Stadt als Bestandteil der sowjetischen Besatzungszone mit allen Konsequenzen in das östliche Paktsystem einverleibt. Mit großem Elan gingen die Leipziger an die Wiederherstellung der Industrie, die Neubelebung der Messe, die Wiedereröffnung von Universität, Kulturstätten und anderen öffentlichen Einrichtungen. Als zweitgrößte Stadt der DDR und seit 1952 auch Bezirksstadt, als bedeutende Universitäts- und Hochschulstadt mit einem beträchtlichen Ausländeranteil unter den Studierenden, als Ausrichter von Weltmessen und den Turn- und Sportfesten der DDR war der eiserne Vorhang in Leipzig nicht so dicht wie in anderen Teilen des Landes. Trotzdem begann der von Berlin gesteuerte Aufbau des Sozialismus historisch gewachsene Besonderheiten zu nivellieren. Mit dem Verfall von traditioneller Bausubstanz und der einseitigen Orientierung auf die Verwendung wenig variabler Betonplatten drohte die Stadt ihr Gesicht zu verlieren.

Wie im 13. und im 19. Jahrhundert nahmen die Leipziger Bürger Ende der achtziger Jahre des 20. Jahrhunderts ihr Schicksal selbst in die Hand. Mit den Montagsdemonstrationen wandten sie sich gegen alte, nicht reformierbare Strukturen weit über ihre eigene Stadt hinaus und traten für Demokratisierung und Meinungsfreiheit ein.

Seitdem befindet sich das Gesicht der Stadt wieder im Wandel: Marode Wohngebiete werden rekonstruiert, Baulücken geschlossen und immer noch existierende Kriegsschäden beseitigt. Erschwerend wirkt sich aus, daß gleichzeitig ein epochaler Strukturwandel zu bewältigen ist und die meisten großen Industriebetriebe ihre Produktion einstellen müssen. Der Trend geht zur Dienstleistungs- und Medienstadt. Er läßt erkennen, daß die Leipziger zum Wohle ihrer jahrhundertealten und sich immer wieder erneuernden Stadt in Bewegung sind.

Leipzig — Verlag und Druck Fischer & Wittig, Leipzig — Universität

Die Universität.

The University.

L'Université.

developed over the years. With the dilapidation of traditional buildings and the one-sided orientation towards the use of rather monotonous concrete slabs the city was threatened with losing its face. As in the 13th and 19th centuries the people of Leipzig took fate into their own hands at the end of the 1980s. With the Monday Demonstrations they showed their displeasure with the old non-reformable structures far beyond their own city and stood up for democratization and freedom of speech.

Since then the city has again found itself undergoing a period of change: dilapidated housing estates are being rebuilt, vacant lots are being filled and war damage which still exists is at last being repaired. One difficult problem is that at the same time an epochal structure change has to be dealt with so that most of the large industries have to close down. The trend is towards service industries and media. It can be seen that the people of Leipzig are again aroused for the good of their city which has often seen change during the centuries since its foundation.

A la fin des années 80 toutefois, les Leipzigois ont décidé de prendre leur destin en main, comme cela avait déjà été le cas au XIIIe et au XIXe siècle. Par le biais des manifestations du lundi, ils se sont rebellés contre des structures vieillies et sclérosées, faisant entendre leur voix bien au-delà de leur cité pour défendre la démocratisation et la liberté d'opinion.

Depuis ces jours mémorables, la ville est encore une fois en train de changer de physionomie: aujourd'hui, on reconstruit les quartiers résidentiels laissés à l'abandon, on referme les brèches et on supprime des ruines qui datent encore de la guerre. Le défi auquel Leipzig se voit confronté est de taille, puisqu'il faut venir à bout d'un changement de structures radical alors que la plupart des grandes entreprises industrielles doivent cesser leur production. A l'époque actuelle, on a choisi de privilégier les services et les médias; une tendance qui est là pour attester que les Leipzigois ont relevé le défi et feront le nécessaire pour assurer la prospérité de leur ville séculaire, une ville qui n'a jamais cessé de se renouveler.

Vorhergehende Doppelseite: Das Alte Rathaus wurde 1556/1557 von Hieronymus Lotter erbaut, seinerzeit auch Bürgermeister der Stadt. Seit 1909 beherbergt es das Stadtgeschichtliche Museum.

Oben: Festsaal des Alten Rathauses, früher große Diele genannt.

Rechts: Die Arkaden des Alten Rathauses entstanden im Zuge der Rekonstruktion 1906/1907 an Stelle der früheren hölzernen Ladenvorbauten.

Previous double page: The old town hall was built in 1556/57 by Hieronymus Lotter who was then mayor of the city. The building is now a museum for the history of the city.

Above: The banquet hall in the old town hall, which used to be called the big hall.

Right: The arcades of the old town hall were built during reconstruction work in 1906/07, replacing the older wooden shop projections.

Double page précédente: L'ancien hôtel de ville fut édifié en 1556–1557 par Hieronymus Lotter, alors bourgmestre de la ville. Depuis 1909, ce bâtiment abrite le musée d'Histoire de Leipzig.

En haut: Salle des fêtes de l'ancien hôtel de ville – jadis appelée »grand vestibule«.

A droite: Ancien hôtel de ville: lors de la restauration du bâtiment en 1906–1907, des colonnades ont remplacé les anciennes galeries de bois.

Die Alte Handelsbörse am Naschmarkt ist das erste Leipziger Barockgebäude.
Denkmal Johann Wolfgang Goethes als Student von Carl Seffner 1903.

Folgende Seite: Blick vom Salzgäßchen zwischen Alter Börse und Altem Rathaus hindurch zum Messehaus Mädler-Passage.

The old commercial exchange on the Naschmarkt was Leipzig's first Baroque building. Monument depicting Johann Wolfgang Goethe as a student of Carl Seffner 1903.

Following page: A view of the Salzgässchen between the old exchange and the old town hall through to the Exhibition Hall on Mädler Passage.

L'Ancienne Bourse sur le Naschmarkt est le premier édifice baroque de Leipzig.
Statue de Johann Wolfgang Goethe étudiant, créée par Carl Seffner en 1903.

Page suivante: Vue depuis le Salzgäßchen – entre la Bourse et l'ancien hôtel de ville – vers le »Messehaus Mädler Passage«.

Vorhergehende Seite: Blick über den Markt zum Königshaus und zum »Messehaus am Markt«, das 1961–63 anstelle des im Kriege zerstörten Messehaus »National« erbaut und Heimstadt der Buchmesse wurde.

Oben: Der »Messepalast Reichshof«, erbaut 1896–98 von dem Berliner Architekten A. Bohm, war eines der ältesten privaten Mustermessehäuser Leipzigs.

Links: Specks Hof, in mehreren Bauabschnitten zwischen 1908 und 1929 errichtet, erhielt seinen Namen nach einem Haus der Familie des Freiherrn Maximilian Speck von Sternburg.

Rechts: Blick durch das Schuhmachergäßchen zwischen Riquethaus und Specks Hof zum Nikolaikirchhof.

Previous Page: View across the market square to the Königshaus and the »Messehaus on the Market« which became home to the Book Fair. It was the »national« exhibition hall which was destroyed during the war.

Above: The »Exhibition Palace Reichshof«, built 1896–98 by the Berlin architect A. Bohm, was one of Leipzig's oldest private sample exhibition halls.

Left: Speck's Hof, built in several stages between 1908 and 1929, was named after a house of Baron Maximilian Speck von Sternburg.

Right: View through the Schuhmachergässchen between Riquethaus and Speck's Hof to the Nikolai churchyard.

Page précédente: Vue du marché, avec le Königshaus et le »Messehaus am Markt« qui a remplacé en 1961–63 le pavillon de foire »National«, détruit pendant la guerre; ce bâtiment est devenu le siège de la Foire aux livres.

En haut: Le »Messepalast Reichshof«, construit en 1896–98 par l'architecte berlinois A. Bohm, fut l'un des plus anciens pavillons privés de la foire-échantillons de Leipzig.

A gauche: »Specks Hof«, édifié en plusieurs étapes entre 1908 et 1929, doit son nom à une maison de la famille du baron Maximilian Speck von Sternburg.

A droite: Vue par le Schuhmachergäßchen – entre Riquethaus et »Specks Hof« – vers le cimetière de Saint-Nicolas.

Vorhergehende Seite: Nach umfangreichen Rekonstruktionsarbeiten wird Specks Hof 1995 wiedereröffnet.

Oben: Die Nikolaischule, 1511 bis 1512 als erste städtische Schule erbaut, besuchten auch Leibniz und Wagner.

Unten: Die Nikolaikirche gehört als Stadt- und Pfarrkirche zu den ältesten Bauwerken der Stadt.

Previous page: After considerable reconstruction work, Speck's Hof was re-opened in 1995.

Above: Leibniz and Wagner also attended the Nikolai school which was the first municipal school, built in 1511/12.

Below: The Nikolai Church, the parish church, is one of Leipzig's oldest buildings.

Page précédente: Après d'importants travaux de restauration lors desquels on a démoli pratiquement tout l'intérieur de l'édifice, »Specks Hof« a fêté sa réouverture en 1995.

En haut: Leibniz et Wagner étudièrent à l'école Saint-Nicolas, première école municipale de Leipzig édifiée en 1511/1512.

En bas: L'église paroissiale Saint-Nicolas est un des plus anciens édifices de la ville.

Seite 33: Blick von der Grimmaischen Straße zum Fürstenhauserker und zur Nikolaikirche.

Oben: Der Leipziger Hauptbahnhof, erbaut 1902–1915, ersetzte die bis dahin bestehenden Richtungsbahnhöfe. Er zählt zu den größten Bahnhöfen der Welt.

Seite 34 unten: Die 26 Bahnsteige des Bahnhofes werden von bogenförmigen Stahlbindern überspannt.

Seite 35 unten: Der 1876 in den Schwanenteichanlagen aufgestellte Eisenbahnobelisk erinnert an die 1839 in Betrieb genommene erste deutsche Fernbahnstrecke Leipzig-Dresden.

Page 33: View from the Grimmaische Strasse to Fürstenhauserker and the Nikolai Church.

Above: Leipzig's main railway station, built 1902–15, replaced the stations which had served Leipzig up until then. It is one of the largest stations in the world.

Page 34 below: The station's 26 platforms are spanned by arched steel bands.

Page 35 below: The railway obelisk, erected in the Schwanenteich in 1876, is dedicated to Germany's first long-distance railway service between Leipzig and Dresden, which began in 1839.

Page 33: Vue de la Grimmaische Straße vers la tourelle du Prince et l'église Saint-Nicolas.

En haut: La gare centrale de Leipzig, construite entre 1902 et 1915, a remplacé les anciennes gares. C'est une des plus grandes gares du monde.

Page 34 en bas: Les 26 quais de la gare sont surmontés de fermes métalliques en forme d'arc.

Page 35 en bas: L'obélisque du chemin de fer dressé en 1876 dans les jardins Schwanenteich commémore l'inauguration de la première grande voie ferrée allemande reliant Leipzig à Dresde.

Vorhergehende Doppelseite: Am Platz des am 4. Dezember 1943 ausgebrannten Neuen Theaters wird mit dem Opernhaus 1960 der erste Theaterneubau der DDR eröffnet.

Links: Die satirische Figurengruppe in der Grimmaischen Straße mit den Personen Pädagogikerin, Diagnostiker, Rationalisatikerin, Stadtgestaltiker, Kunsttheoretiker wurde 1991 aufgestellt.

Rechts: Das Krochhochhaus mit den Glocken-männern, zur Bauzeit 1927/28 wegen seiner Höhe angefeindet, zählt zu den Wahrzeichen der Stadt.

Seite 39: Das Universitätshochhaus zwischen Gewandhaus und Mendebrunnen ist mit 142 m das höchste Gebäude Leipzigs.

Previous double page: The opera house, built in 1960 on the site of the New Theatre which burned down on December 4th, 1943, was the first new theatre built in East Germany.

Left: This satirical group of figures in Grimmaische Strasse was erected in 1991. Portrayed are a teacher, a diagnostician, a rationaliser, a city designer and an art theoretician.

Right: The Kroch high-rise with bell-men, unpopular at the time of its construction in 1927/28 because of its height, is one of Leipzig's landmarks.

Page 39: The university high-rise between the Gewandhaus and the Mende Fountain is, with its 142 metres, Leipzig's highest building.

Double page précédente: Avec l'Opéra, édifié en 1960 sur l'emplacement du Nouveau Théâtre incendié le 4 décembre 1943, la RDA s'est dotée de son premier théâtre moderne.

A gauche: Ce groupe satirique – représentant la pédagogue, le diagnosticien, la rationali-satrice, l'urbaniste et le théoricien de l'art – orne la Grimmaische Straße depuis 1991.

A droite: Un symbole de Leipzig: le building Kroch avec les sonneurs de cloche; à l'époque de sa construction en 1927–28, la hauteur de ce bâtiment suscita bien des critiques.

Page 39: Le building de l'Université situé entre le Gewandhaus et le Mendebrunnen est, avec ses 142 mètres, le plus haut édifice de Leipzig.

Vom ehemaligen Hauptgebäude der Universität, dem Augusteum, ist heute noch das Schinkel-portal erhalten.

Only the Schinkel portal remained of the former main university building, the Augusteum.

De l'ancien bâtiment principal de l'Université, l'Augusteum, seul le Schinkelportal a été conservé.

Das Neue Gewandhaus, am 8. Oktober 1981 eröffnet, ist das dritte eigene Haus in der Geschichte des traditionsreichen Gewandhausorchesters.

Folgende Seite: Der Mendebrunnen auf dem Augustusplatz entstand nach einem Entwurf des Architekten Adolf Gnauth und wurde 1886 eingeweiht. Er trägt den Namen seiner Stifterin Marianne Pauline Mende.

The new Gewandhaus, opened on October 8th, 1981, is the third home in the long tradition of the Gewandhaus Orchestra.

Following page: The Mende Fountain on Augustusplatz was constructed from a design by the architect Adolf Gnauth and put into service in 1886. It is named after its sponsor Marianne Pauline Mende.

Le Neue Gewandhaus, inauguré le 8 octobre 1981, est le troisième siège de l'orchestre du Gewandhaus, riche d'une longue tradition historique.

Page suivante: Le Mendebrunnen sur l'Augustusplatz, dessiné par l'architecte Adolf Gnauth et inauguré en 1886. Le nom de cette fontaine se réfère à la donatrice, Marianne Pauline Mende.

Mit dem ersten Mustermessehaus »Städtisches Kaufhaus« und dessen Vorgängerbauten verbinden sich eine 500jährige Messetradition.

Oben rechts: Das 1909 aufgestellte Gellert-denkmal ist die Nachbildung eines Werkes von Friedrich Adam Oeser.

Unten: In den von Peter Joseph Lenné gestalteten Anlagen an der heutigen Schillerstraße steht seit 1914 auch ein Schillerdenkmal von Johannes Hartmann aus weißem Marmor.

The first sample exhibition hall, the »Städtische Kaufhaus« and its predecessors combine to form a 500-year-old trade fair tradition in Leipzig.

Above: The Gellert monument, erected in 1909, is a copy of one of Friedrich Adam Oeser's works.

Below: A Schiller monument sculptured in white marble by Johannes Hartmann has stood since 1914 in the area designed by Peter Joseph Lenné, today's Schillerstrasse.

Le premier pavillon de la foire-échantillons – »Städtisches Kaufhaus« – et le bâtiment antérieur sont deux importants jalons d'une tradition vieille de 500 ans: la foire de Leipzig.

En haut: La statue de Gellert créée en 1909 est la copie d'une oeuvre de Friedrich Adam Oeser.

En bas: La statue en marbre blanc de Schiller, oeuvre de Johannes Hartmann, se dresse dans les jardins dessinés par Peter Joseph Lenné qui bordent l'actuelle Schillerstraße.

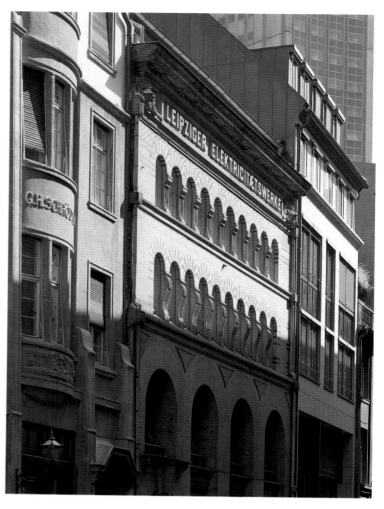

Seite 44 oben links: Das Gebäude Ecke Schillerstraße/ Neumarkt entstand 1859–1862.

Seite 44 oben rechts: Aus der Frühzeit der Stromversorgung Leipzigs stammt das Gebäude in der Magazingasse.

Seite 44 unten: Am Ausgang der Petersstraße wurde 1887 das Reichsbankgebäude, die heutige Landeszentralbank, errichtet.

Oben: Im Vorgängergebäude des Eckhauses Petersstraße/Schloßgasse wurde Max Klinger geboren. Das »Klingerhaus« wurde 1887/88 von Arwed Roßbach erbaut.

Unten: Blick von der Petersstraße zum Rathausturm, rechts das Messehaus »Drei Könige«.

Page 44 above left: The building on the corner of Schillerstrasse and Neumarkt was constructed between 1859 and 1862.

Page 44 above right: This building in Magazingasse is from the days when Leipzig was first supplied with electricity.

Page 44 below: The National Bank of the German Reich at the end of Petersstrasse was built in 1887.

Above: Max Klinger was born in the building which used to stand on the corner of Petersstrasse and Schlossgasse. The »Klingerhaus« was built in 1887/88 by Arwed Rossbach.

Below: View from Petersstrasse towards the town hall tower, on the right the exhibition hall »Drei Könige« (Three Wise Men).

Page 44 en haut à gauche: Le bâtiment à l'angle Schillerstraße/Neumarkt fut construit en 1859–1862.

Page 44 en haut à droite: Le bâtiment dans la Magazinstraße date de l'époque où Leipzig commença à se doter de l'électricité.

Page 44 en bas: Le bâtiment de la Banque du Reich, actuellement Landeszentralbank, fut construit en 1887 au bout de la Petersstraße.

En haut: Max Klinger naquit dans la maison qui a précédé le bâtiment actuel à l'angle Petersstraße/Schloßgasse; le »Klingerhaus« fut construit en 1887–88 par Arwed Roßbach.

En bas: Vue de la Petersstraße vers le beffroi de l'hôtel de ville, avec le pavillon de foire »Drei Könige« sur la droite.

Vorhergehende Doppelseite: Das Haupt-treppenhaus im Neuen Rathaus.

Oben: Das Neue Rathaus wurde von 1899 bis 1905 von Hugo Licht auf dem Terrain der aus dem 13. Jahrhundert stammenden Pleißenburg erbaut.

Folgende Seite: Das als Kaufhaus Topas bekannte ehemalige Warenhaus wurde in den Jahren 1903 bis 1904 erbaut und wird heute von der Commerzbank genutzt.

Previous double page: The main stairway of the new town hall.

Above: The new town hall was built between 1899 and 1905 by Hugo Licht on the land on which the 13th century Pleissenburg stood.

Following pages: The former department store, which the people of Leipzig knew as Kaufhaus Topas, was built in 1903/04 and is today used by the Commerzbank.

Double page précédente: Escalier principal du nouvel hôtel de ville.

En haut: Le nouvel hôtel de ville de l'architecte Hugo Licht fut édifié entre 1899 et 1905 sur le terrain de la Pleißenburg, une forteresse datant du XIIIe siècle.

Pages suivante: Cet ex-grand magasin, baptisé »Kaufhaus Topas« par les Leipzigois, date de 1903–1904; aujourd'hui, le bâtiment abrite la Commerzbank.

Die Thomaskirche, in deren Mittelschiff (links) sich das Grab von Johann Sebastian Bach befindet, ist eine Stätte der Pflege musikalischer Traditionen. Für den Erhalt der Kirche sind erhebliche Mittel notwendig, die vor allem durch Spenden erbracht werden müssen.

Unten rechts: Neues Bachdenkmal von Carl Seffner, 1908.

St. Thomas' Church has a long musical tradition. The tomb of Johann Sebastian Bach is in front of the altar (left). Considerable sums of money, mostly raised by donations, are necessary to maintain the church.

Below right: The new Bach monument from Carl Seffner, 1908.

Nef centrale de l'église Saint-Thomas avec le tombeau de Jean Sébastien Bach (à gauche). L'église Saint-Thomas est depuis longtemps un haut-lieu de la musique. L'entretien de l'église nécessite des fonds considérables dont la majeure partie provient de donations.

En bas à droite: Nouvelle statue de Bach, créée par Carl Seffner en 1908.

Seite 52 oben: Das Bachstübel an der
Thomaskirche ist ein beliebter Treffpunkt für
Touristen und Einheimische.

Seite 52 unten: An den Markttagen im Herbst
erleben Leipziger und Touristen auf dem
Marktplatz vor dem Alten Rathaus Kultur und
ein reges Markttreiben.

Oben: Traditionsreiches Handwerk gehört in
Leipzig zum Stadtleben. Ein Scherenschleifer
»bedient« an den Markttagen seine Kunden.

Page 52 above: The »Bachstübel« near
St. Thomas' Church is a favourite meeting place
for tourists and locals alike.

Page 52 below: Leipzig people and tourists
experience culture and the hustle and bustle of
a busy market on the market place in front of
the old town hall on market days in autumn.

Above: In Leipzig traditional trades are part of
the city life. A scissor grinder »serves« his customers on market days.

Page 52 en haut: Le »Bachstübel« à côté de
l'église Saint-Thomas est un lieu de rendez-vous
très apprécié, aussi bien par les touristes que
par les Leipzigois.

Page 52 en bas: En automnne, lors des
Journées du marché sur la place de l'ancien
hôtel de ville, les activités commerciales et cul-
turelles font le bonheur des Leipzigois et des
touristes.

En haut: Aux jours de marché, le rémouleur est
là pour servir ses clients.

Seite 54: Von der Grimmaischen Straße bis zum Neumarkt erstreckt sich die Mädler-Passage, eine der vornehmsten Einkaufsadressen Leipzigs.

Links: Mephisto und Faust aus der von Mathieu Molitor geschaffenen Figurengruppe an den Treppen zu Auerbachs Keller.

Rechts: Paulanerpalais und Altes Kloster in der Klostergasse.

Page 54: The Mädler Passage, one of Leipzig's most fashionable shopping areas, stretches from Grimmaische Strasse to Neumarkt.

Left: Mephisto and Faust from the group of figures made by Mathieu Molitor on the steps to Auerbach's Cellar.

Right: Paulaner Palace and Old Monastery in Klostergasse.

Page 54: Le passage Mädler, une galerie commerçante particulièrement élégante, relie la Grimmaische Straße au Neumarkt.

A gauche: Méphisto et Faust, détails du groupe sculpté par Mathieu Molitor pour l'escalier de la cave d'Auerbach.

A droite: Klostergasse: Paulanerpalast et Ancien Couvent.

Oben: Von der barocken Prachtstraße Leipzigs, der Katharinenstraße, blieben nach Umbauten und Bombardierung nur Reste.

Folgende Seite: Historische Bürgerhäuser und Neubauten bestimmen das Bild am Brühl.

Above: Only parts of Leipzig's Baroque boulevard, Katharinenstrasse, remained after reconstruction and bombing.

Following page: Historic houses and newer buildings define the picture of Brühl.

En haut: Katharinenstraße; de ce qui était la plus belle rue baroque de Leipzig, quelques vestiges ont survécu aux bombardements et aux divers réaménagements.

Page suivante: Anciennes maisons bourgeoises et nouveaux bâtiments caractérisent la physionomie du Brühl.

Das mit 91 m größte deutsche Denkmal wurde in den Jahren 1898 bis 1913 erbaut und erinnert an die Völkerschlacht im Oktober 1813.

Seite 59: Wachen vor einer Totenmaske in der Krypta des Völkerschlachtdenkmals.

The largest German monument at 91 metres was built between 1898 and 1913. It commemorates the Battle of the Nations in October 1813.

Page 59: Guards in front of a death mask in the crypt of the Battle of the Nations monument.

Edifié entre 1898 et 1913, le monument commémoratif de la bataille des Nations livrée en octobre 1813 est, avec ses 91 m de haut, le plus grand d'Allemagne.

Page 59: Gardes devant un masque mortuaire dans la crypte du monument de la bataille des Nations.

Leipzig und die Völkerschlacht
Leipzig and the Battle of the Nations
Leipzig et la bataille des Nations

Es ist zwar betrüblich, bleibt aber doch eine Tatsache und ein weiteres Beispiel der dominanten Wertung kriegerischer Ereignisse: Die Völkerschlacht im Herbst 1813 war es, die den Namen des Handels- und Messeplatzes Leipzig in die Weltgeschichte eingehen ließ.

Mitte Oktober 1813 näherten sich gewaltige Heere der Leipziger Tiefebene. Napoleon, Repräsentant und fähigster Heerführer Frankreichs, hatte vergeblich versucht, die Armeen der gegen ihn Verbündeten einzeln zum Kampf zu stellen. Die jahrelange Drangsalierung unter napoleonischer Fremdherrschaft hatte die Fortschrittssymbole der Französischen Revolution verblassen lassen. Unter dem Eindruck der vernichtenden Niederlage der Grande Armee in Rußland 1812 entstand eine Koalition zwischen den Feudalmächten des alten Kontinents und England, die Freiheitsbestrebungen in den besetzten Ländern auszunutzen verstand. Auch in Sachsen brodelte es: Obwohl König Friedrich August bis zum bitteren Ende auf Napoleons Seite blieb, setzte der Kommandant der Festung Torgau, General-Major von Thielmann im Mai 1813 ein Zeichen, verweigerte den Anschluß an das 7. französische Armeekorps von Marschall Ney und ging zu den Verbündeten über.

In der Völkerschlacht standen sich etwa 200 000 Soldaten auf Seiten Napoleons und 300 000 auf der Seite seiner Gegner gegenüber, von denen allerdings 100 000 erst am 18. Oktober eintrafen. Die Schlacht begann am 14. Oktober mit einem Erkundungsgefecht zwischen Liebertwolkwitz und Güldengossa südlich von Leipzig, aus dem sich

It is sad but unfortunately true and a further example of the dominant value of war that the Battle of the Nations in autumn 1813 was the event which put the city of Leipzig, a centre for trade and exhibitions, into the history books.

In the middle of October 1813, a massive body of soldiers was approaching the Leipzig lowlands. Napoleon, France's representative and most capable military leader, had tried in vain to force the allied armies to oppose him individually. Years of persecution under Napoleon's foreign rule had allowed the progressive symbols of the French Revolution to fade. With the prospect of a devastating defeat by the grande armée in Russia in 1812, a coalition was formed between the feudal powers of the old continent and England which knew how to take advantage

On aura beau le déplorer, mais le fait est là, témoignant encore une fois de la valorisation excessive des exploits militaires: ce fut par la bataille des Nations, livrée àl'automne 1813, que le nom de Leipzig, ville de foire et grand carrefour commercial, est entré dans les annales de l'histoire.

A la mi-octobre 1813, de puissantes armées avancèrent vers la plaine de Leipzig. Napoléon, représentant de la nation française et général hors pair, n'avait pas réussi à défier séparément les armées des Alliés. La pression brutale que la domination napoléonienne avait fait subir des années durant aux pays conquis avait terni les idéaux progressistes incarnés par la Révolution française. Encouragées par la défaite écrasante infligée un an plus tôt à la Grande Armée en Russie, les puissances féodales du vieux continent et l'Angleterre avaient formé une coalition qui sut avantageusement exploiter la soif de liberté des peuples opprimés. En Saxe aussi, la révolte couvait: certes, Frédéric-Auguste resta jusqu'au bout fidèle à Napoléon, mais le général-major von Thielmann, commandant de la forteresse de Torgau, fit un geste décisif en refusant de rallier le 7e corps d'armée du maréchal Ney et en passant dans le camp des coalisés.

La bataille des Nations opposa quelque 200 000 soldats du côté de Napoléon et 300 000 du côté de ses adversaires, dont 100 000 n'arrivèrent que le 18 octobre. La bataille débuta le 14 octobre par une opération de reconnaissance au sud de Leipzig (entre Liebertwolkwitz et Güldengossa) qui dégénéra en un violent affrontement des régiments de cavalerie: 15 000 cavaliers appuyés par des unités d'infanterie se livrèrent combat dans la vaste plaine qui s'étend aux pieds du

eine gewaltige Reiterschlacht entwickelte. Schließlich kämpften auf dem weithin übersehbaren flachen Terrain, das noch heute vom Colmberg bei Wachau gut überblickt werden kann, 15 000 Berittene, unterstützt von Infanterieverbänden. Eine Entscheidung fiel nicht, jedoch erlitten die spanischen Dragoner, eine Eliteeinheit Napoleons, nicht zu ersetzende Verluste.

Dank seines strategischen Könnens und der zögernden Haltung des österreichischen Feldmarschalls Fürst zu Schwarzenberg, des Oberkommandierenden der Verbündeten, konnte Napoleon aber noch immer auf einen Erfolg hoffen. So erlangten französische und Rheinbundtruppen am 16. Oktober in der Nähe des Dorfes Wachau ein Übergewicht. Russisch-preußische Einheiten unter dem russischen General Eugen von Württemberg konnten aber den Durchbruch verhindern. Napoleon gelang es nicht, seine Reserven ins Feld zu führen, weil sie durch Angriffe der Truppen des preußischen Generals von York und des russischen Generals von Langeron gegen Möckern (im Norden Leipzigs) gebunden waren. Damit war die Vorentscheidung gefallen, wenn auch der gewiefte Taktiker Napoleon am Abend in Leipzig Siegesglocken läuten ließ.

Der 18. Oktober brachte vor allem durch den Einsatz von starken Reserven der Verbündeten die definitive Entscheidung. Erbitterte Kämpfe tobten um die Dörfer Probstheida, Paunsdorf, Stötteritz und Schönefeld. Der preußische König und die Kaiser von Rußland und Österreich verfolgten das Geschehen von einem Hügel bei Meusdorf, dem heutigen Monarchenhügel. Napoleons Stab stand an der Quandtschen Tabaksmühle (am Westeingang des heutigen Südfriedhofs). Da es den französischen Truppen im wesentlichen gelang, die Verteidigungslinie im Süden von Leipzig zu halten, konnte Napoleon etwa gegen 16 Uhr den Rückzug einleiten. In den Morgenstunden des 19. Oktober verabschiedete sich der französische Kaiser im Königshaus am Markt vom sächsischen König und trat die Flucht Richtung Markranstädt an. War es ein Zufall, daß auf dieser Seite der Stadt nur schwache österreichische Verbände standen? Immerhin war Napoleon der Schwiegersohn des Kaisers von Österreich.

Während Napoleon seinen Rückzug durch Rheinbundtruppen und andere Hilfsvölker decken ließ, – die Sachsen hatten allerdings am Vortag die Front gewechselt, was Zar Alexander I. zu der Bemerkung veranlaßte: »Die Herren kommen ziemlich

of the liberation movements in the occupied countries. There was also a seething unrest in Saxony: Although King Frederick August remained on Napoleon's side to the bitter end, the commander of the Torgau stronghold, General Major von Thielmann, pointed the way, by refusing to join the 7th French army corps of Marshal Ney and instead went over to the allies.

In the Battle of the Nations around 200,000 of Napoleon's soldiers faced 300,000 on the opposing side, although 100,000 of those did not arrive until October 18th. The battle began on October 14th with a reconnaissance encounter between Liebertwolkwitz and Güldengossa south of Leipzig which developed into a fierce cavalry battle. Eventually 15,000 horsemen supported by infantry fought on the widely surveyable flat terrain which can still be viewed from Colmberg near Wachau. It was not a decisive battle but the Spanish dragoons, one of Napoleon's elite units, suffered losses which could not be made up for.

Thanks to Napoleon's strategic ability and the hesitant behaviour of the Austrian field marshal Prince von Schwarzenberg, the allied chief commander, he could, however, still hope to gain victory. On October 16th, close to the village of Wachau, French troops and soldiers from the Confederation of the Rhine took the upper hand. Russian-Prussian units under the Russian general Eugen von Württemberg, however, were able to prevent a breakthrough. Napoleon was unable to bring his reserves into the field since they were tied up, fending off attacks by troops of the Prussian general von Yorck and the Russian general von Langeron against Möckern (in the north of Leipzig). This practically decided the outcome even if the seasoned tactician Napoleon had the victory bells ring in Leipzig that evening.

October 18th brought about the definitive decision above all through the deployment of strong allied reserves. Bitter fighting took place around the villages of Probstheida, Paunsdorf, Stöttersitz and Schönefeld. The Prussian king, the Czar of Russia and the Austrian Emperor followed the battle from a hill near Meusdorf, today called Monarchs' Hill. Napoleon's staff officers stood by Quandt's tobacco mill (today the west entrance to the south cemetery). Since French troops were, on the whole, successful in maintaining their line of defence in the south of Leipzig, Napoleon was able to begin withdrawing around 4 p.m. In the early morning of October 19th, the French Emperor took

Colmberg près de Wachau. Aucun parti ne remporta la victoire, mais du côté des dragons espagnols, une unité d'élite de Napoléon, les pertes furent très lourdes.

Face aux hésitations du maréchal autrichien Schwarzenberg, commandant en chef des forces alliées, le grand stratège qu'était Napoléon pouvait encore espérer la victoire. Le 16 octobre, les troupes françaises et celles de la Confédération du Rhin remportèrent quelques succès près du village de Wachau, mais les unités prussiennes et russes commandées par le général Eugène de Wurtemberg purent les empêcher de faire une percée. Napoléon fut coupé de ses unités de réserve, retenues par les troupes des généraux prussien et russe – York et Langeron – qui attaquaient Möckern au nord de Leipzig. Dès lors, la partie était perdue, même si Napoléon, en habile tacticien, fit ce soir-là sonner les cloches de la victoire à Leipzig.

Grâce à l'intervention des puissantes unités de réserve des forces alliées, le 18 octobre fut la journée décisive. Il y eut des combats acharnés autour des villages de Probstheida, Paunsdorf, Stötteritz et Schönefeld. Le roi de Prusse et les empereurs de Russie et d'Autriche observaient le déroulement des opérations du haut d'une colline près de Meusdorf, l'actuelle »colline des monarques«. L'état-major de Napoléon se tenait près du moulin à tabac de Quandt (à l'entrée occidentale de l'actuel Südfriedhof). Les troupes françaises ayant réussi à maintenir leur ligne de défense au sud de Leipzig, Napoléon ordonna à ses troupes de se replier aux environs de 16 heures. Au petit matin du 19 octobre, dans la Maison royale donnant sur le marché, l'empereur français fit ses adieux au roi de Saxe et battit en retraite dans la direction de Markranstädt. Seules quelques petites unités autrichiennes étaient stationnées de ce côté de la ville, ce qui n'était sans doute pas un hasard puisque Napoléon était le beau-fils de l'empereur d'Autriche.

Tandis que Napoléon fit couvrir sa retraite par les troupes de la Confédération du Rhin et des autres pays amis (bien que les Saxons eussent changé de camp le jour précédent, ce qui fit dire au tsar Alexandre Ier: »Ces Messieurs arrivent bien tard«), les Alliés donnèrent l'assaut à Leipzig. Alors que le marché était déjà le théâtre d'une grande parade triomphale, les combats faisaient encore rage dans l'ouest de la ville, où la retraite des Français fut brutalement interrompue par le dynamitage prématuré du pont sur le Erstmühlgraben. Le 20 octobre, le général prussien von Blücher, qui avait interdit d'incendier la ville, écrivait à sa femme: »... fut menée la plus grande bataille

spät.« – traten die Verbündeten zum Sturm auf Leipzig an. Während im Westen noch gekämpft wurde und die verfrühte Sprengung der Brücke über den Elstermühlgraben durch die Franzosen deren Rückzug jäh unterbrach, fand auf dem Markt bereits die Siegesparade statt. Der preußische General von Blücher, der verboten hatte, Leipzig in Brand zu schießen, schrieb am 20. Oktober in rustikaler Orthographie an seine Frau: »... ist die größte Schlacht geliffert di ni uf der Erde stadt gefunden hat. 600 000 man kempfften mit einander, um 2 uhr nachmittag nahm ich Leipzig mit Stuhrm, der König von Saxen und ville generalls der Franzosen wurden gefangen der Pollnische Fürst Poniatowski Ertrank.«

Seit 1806 waren Leipzig ungeheure finanzielle und materielle Lasten auferlegt worden, mußten doch immer wieder durchziehende Soldaten verpflegt und mit Heizmaterial, Kleidung, Verbandszeug u.a. versorgt werden. Nun stiegen Not und Elend ins Unermeßliche. Ruhr, Typhus und andere Seuchen dezimierten die Einwohnerzahl um mehrere Tausend. Während 85 000 Gefallene zu beklagen waren, konnten auch die meisten Verwundeten nicht gerettet

his leave from the Saxon king in the Königshaus on the market square and fled in the direction of Markranstädt. Was it coincidence that there were only weak Austrian units on this side of the city? Napoleon was after all the Austrian emperor's son-in-law.

While Napoleon had his retreat covered by troops from the Rhine Confederation and other auxiliaries – even though the Saxons had gone over to the other side the day before, leading Czar Alexander I to comment, »the gentlemen are rather late in arriving« –, the allies prepared to storm Leipzig. While fighting continued in the west and the premature French blowing up of the bridge over the Estermühl trench put an abrupt end to their retreat, the victory parade was already taking place on the market square. The Prussian general von Blücher, who had forbidden Leipzig from being burned to the ground, wrote to his wife on October 20th, »... it was the greatest battle ever to have taken place on Earth. 600,000 men fought against each other, I took Leipzig by storm at 2 p.m., the king of Saxony and many French generals were captured, the Polish prince Poniatovski was drowned.«

Horrendous financial burdens had been imposed on Leipzig since 1806, soldiers

que la terre ait jamais vue; 600 000 hommes ont combattu; vers 2 heures de l'après-midi, j'ai pris Leipzig d'assaut, le roi de Saxe et beaucoup de généraux français ont été faits prisonniers et le prince polonais Poniatowski s'est noyé.«

Depuis 1806, Leipzig avait dû faire face à des charges financières et matérielles considérables, car il fallait ravitailler les innombrables soldats de passage, leur fournir des combustibles, des habits, des pansements etc. Après la défaite, la misère y prit des proportions tragiques: dysentérie, typhus et autres épidémies décimèrent la population et firent des milliers de victimes; 85 000 hommes étaient tombés sur le champ de bataille, la plupart des blessés ne purent être sauvés. Des conditions épouvantables régnaient dans les hôpitaux militaires de fortune surpeuplés (églises, magasins de blé et entrepôt des drapiers) et il n'y avait pratiquement pas d'infirmiers. Une remarque lapidaire figurant dans un rapport du 22 octobre nous renseigne sur la façon dont on disposait des vies humaines: »Les grands blessés français sont tout bonnement assassinés.« Quant aux prisonniers, leur sort n'était guère plus enviable. Qu'ils soient Russes, Autrichiens, Prussiens ou Français, ces hommes à bout de forces et dépouillés de tout

Gedenkstein an der Stelle der ehemaligen Quandtschen Tabaksmühle, Standort vom Stab Napoleons am 18. Oktober 1813.

A commemorative stone on the side of the former Quandt's tobacco mill, Napoleon's headquarters on October 18th, 1813.

Pierre commémorative sur le site de l'ancien moulin à tabac de Quandt, à l'endroit où l'état-major de napoléon se tenait le 18 octobre 1813.

die meisten Verwundeten nicht gerettet werden. In den überfüllten Notlazaretten (Stadtkirchen, Korn- und Gewandhaus) herrschten unbeschreibliche Zustände, da kaum Pfleger vorhanden waren. Und wie man mit Menschenleben umging, verrät eine lapidare Bemerkung von 22. Oktober in einer Chronik: »Die französischen schwer Blessierten werden erschlagen.« Aber auch den Gefangenen war ein schlimmes Los beschieden. Ob Russen, Österreicher, Preußen oder Franzosen – entkräftet und ausgeplündert waren sie schutzlos Nässe und Kälte ausgesetzt. Hunger und Durst zwangen zum Verzehr von Kadavern und infiziertem Pfützenwasser; die Überlebenschancen waren gering.

Noch heute ist die Erinnerung an die gewaltige Schlacht lebendig. Dutzende von Apelsteinen (genannt nach ihrem Stifter im 19. Jahrhundert), Gedenksteine für die Österreicher und den französischen Marschall Poniatowski, Denkmäler an den Orten, wo sich die Stäbe Napoleons und der Verbündeten während der Kämpfe befanden, eine russische Gedächtniskirche und nicht zuletzt das Völkerschlachtdenkmal machen auf sie aufmerksam.

Wie anderswo steht allerdings zu befürchten, daß das Gedenken an die Toten aus fast ganz Europa vom Glanz bunter Uniformen und den Zwängen von Vermarktungsstrategien überschattet wird.

continually passing through had to be catered for and supplied with fuel, clothing, bandages etc. Now poverty and privation reached a terrible level. Dysentry, typhoid and other epidemics killed off many thousands of the population. While 85,000 men had fallen in battle, most of the wounded could not be saved. Indescribable conditions reigned in the overfilled emergency military hospitals (the churches, the Kornhaus and the Gewandhaus), since there were few nurses to take care of the injured. The attitude towards human life can be seen in a terse comment in a chronicle from October 22nd, »the badly wounded French are slain.« But the captured were also to suffer a terrible fate. Whether Russian, Austrian, Prussian, or French - without protection, weakened and plundered, they were forced to suffer the elements. Hunger and thirst forced them to eat carcasses and drink infected pool water; their chances of survival were very slim indeed.

Memories of the violent battle are still alive today. Dozens of Apel stones (named after their donor in the 19th century) draw attention to the slaying. There are memorial stones for the Austrians and the French marshal Poniatovski; monuments were erected at the sites where Napoleon's and the allied headquarters were situated during the battles, a Russian memorial church and last but not least the Battle of the Nations monument draw attention to the battle.

However, it is to be feared that, as elsewhere, memories of the dead from almost the whole of Europe will be overshadowed by the glitter of colourful uniforms and the pressure of marketing strategies.

étaient laissés à l'abandon, dans le froid et l'humidité. Poussés par la faim et la soif, ils en arrivaient à manger des cadavres et à boire l'eau contaminée des flaques; les chances de survie étaient minimes.

Aujourd'hui encore, le souvenir de cette bataille est bien vivant. Des douzaines de pierres (surnommées »Apelsteine« d'après leur donateur du XIXe siècle), des stèles commémoratives dédiées aux Autrichiens et au maréchal français Poniatowski, des monuments érigés aux endroits où les états-majors de Napoléon et des Alliés s'étaient tenus pour suivre la bataille, une église russe et enfin le célèbre monument de la bataille des Nations sont là pour nous rappeler cet événement dramatique. On peut cependant redouter que, comme ailleurs dans le monde, l'éclat des uniformes pittoresques et les enjeux commerciaux viennent un jour effacer la mémoire de ces hommes venus de tous les coins d'Europe pour mourir en ces lieux.

Seite 65: Zu Ehren der über 20 000 in der Völkerschlacht gefallenen Soldaten der russischen Armee entstand 1912/13 die Russische Gedächtniskirche.

Page 65: The Russian Memorial Church was built 1912/13 in memory of the more than 20,000 Russian soldiers who were killed in the Battle of the Nations.

Page 65: Erigée en 1912–13, l'église commémorative russe est dédiée aux 20 000 soldats de l'armée russe tombés dans la bataille des Nations.

Haupteingang der 1914–16 errichteten
Deutschen Bücherei. Die Gründung
der deutschen Nationalbibliothek weist auf die
herausragende Rolle Leipzigs als Buchstadt hin.

Seite 67 oben: Die Schrebergärten, benannt
nach dem Arzt und Orthopäden Daniel Gottlieb
Moritz Schreber, vor dem Gasbehälter des
Gaswerks Connewitz. In Leipzig entwickelte sich
im 19. Jahrhundert eine Kleingartenbewegung,
die auf ganz Deutschland übergriff.

The main entrance to the German National
Library, built 1914–16. The foundation of the
National Library bears witness to Leipzig's
outstanding role as a literary city.

Page 67 above: The Schreber Gardens or allotments, named after the doctor and orthopa-
edist Daniel Gottlieb Moritz Schreber in front of
the Connewitz gasworks. In the 19th century a
movement formed in Leipzig which soon saw
allotments being created in the whole of
Germany.

Entrée principale de la Librairie allemande,
construite en 1914–1916.
La fondation de la Bibliothèque nationale
allemande témoigne du rôle éminent que
Leipzig a joué en tant que ville du livre.

Page 67 en haut: Devant le gazomètre de
l'usine à gaz Connewitz, les jardins ouvriers (en
allemand »Schrebergärten« d'après le médecin
et orthopédiste Gottlieb Moritz Schreber). L'idée
de ces petits jardinets se développa au XIXe
siècle à Leipzig, pour s'étendre ensuite à
l'Allemagne toute entière.

Unten: Renovierter Portikus des Bayrischen Bahnhofs, des ältesten Kopfbahnhofs in Deutschland.

Below: Renovated portico of the Bavarian station, Germany's oldest terminal railway station.

En bas: Portique rénové de la gare bavaroise, la plus vieille gare tête de ligne d'Allemagne.

Oben: Das Schloß Knauthain wurde um 1700 von David Schatz erbaut und wird seit 1937 als Schule genutzt.

Unten: Auewald, Revier Neue Linie.

Folgende Seite: Industriearchitektur am Karl-Heine-Kanal in Leipzig-Plagwitz.

Above: The castle Knauthain was built around 1700 by David Schatz and has been used as a school since 1937.

Below: Auewald, Revier Neue Linie.

Following page: Industrial architecture on the Karl Heine Canal in Leipzig-Plagwitz.

En haut: Le Château Knauthain, construit vers 1700 par David Schatz, transformé en école depuis 1937.

En bas: Auewald, district Neue Linie.

Page suivante: Architecture industrielle le long du Karl-Heine-Kanal à Leipzig-Plagwitz.

Seite 70: Die Apostelkirche Großzschocher-Windorf vereinigt Bauelemente vom 13. bis zum 20. Jahrhundert. Der Ortsteil wurde 1927 eingemeindet.

Oben: In der Nähe von Grünau befindet sich das Naherholungsgebiet Kulkwitzer See, eine ehemalige Braunkohlengrube.

Page 70: The Apostle Church Grosszschocher-Windorf combines architectural elements ranging from the 13th to the 20th century. The area was incorporated in 1927.

Above: The local recreation area, Kulkwitzer Lake, a former lignite mine, is near Grünau.

Page 70: L'église des Apôtres Großzschocher-Windorf réunit des éléments de construction datant du XIIIe au XXe siècle; la localité fut incorporée dans la commune en 1927.

En haut: L'aire de repos Kulkwitzer See, une ancienne mine de lignite, se trouve àproximité.

Oben: Hafenanlagen in Lindenau. Die Fertigstellung des Elster-Saale-Kanals und der Anschluß des Hafens wurde durch den Zweiten Weltkrieg verhindert.

Unten: Unvollendetes Wagner-Denkmal von Max Klinger mit Szenen aus »Ring des Nibelungen« und »Parsival« im Klinger-Hain.

Above: Dockyards in Lindenau. The completion of the Elster-Saale-Canal and the connection of the docks was hindered by World War II.

Below: Unfinished Wagner monument from Max Klinger with scenes from »Ring of the Nibelungen« and »Parsifal« in the Klinger Grove.

En haut: Installations portuaires à Lindenau. Du fait de la Seconde Guerre mondiale, le canal Elster-Saale et le rattachement du port n'ont jamais été achevés.

En bas: Dans le Klinger-Hain: cette oeuvre inachevée de Max Klinger, un monument dédié à Wagner, offre des scènes tirées de »L'Anneau des Nibelungen« et de »Parsifal«.

Oben: Der Leipziger Architekt Oscar Mothes erbaute 1873/74 sein Wohnhaus, die Julburg, im neogotischen Stil. Seit 1977 beherbergt das Gebäude das Fachhochschul-Institut für Museologie.

Unten: Blick über die Festwiese zum Glockenturm vor dem 1954–1956 erbauten Zentralstadion.

Folgende Doppelseite: Der Palmgarten gab dem Obere-Elster-Wehr seinen Namen: Palmgartenwehr. Erbaut wurde die brückenartige Anlage von 1913 bis 1917 zur Hochwasserregulierung im Westen der Stadt.

Above: The Leipzig architect Oscar Mothes built his Neo-Gothic house, the Julburg, in 1873/74. Since 1977 the building has been used by the university institute for museology.

Below: Views across the fairground to the bell tower of the central stadium, built 1954-56.

Following double page: The Palmgarten gave the upper Elster dam its name – Palmgarten dam. The bridge-like construction was built between 1913 and 1917 to regulate high water in the west of the city.

En haut: En 1873/74, l'architecte leipzigois Oscar Mothes se construisit une maison d'habitation de style néo-gothique, la Julburg. Depuis 1977, cet édifice abrite l'Institut supérieur de Muséologie.

En bas: Vue sur le champ de foire du palais des sports datant de 1954–1956.

Double page suivante: Cette palmeraie a donné son nom au barrage de l'Elster: Palmgartenwehr. Le dispositif apparenté à un pont fut construit en 1913–1917 pour régulariser les crues à l'ouest de la ville.

Oben: Das kleine Bauernhaus in Gohlis bewohnte Friedrich Schiller im Sommer 1785. Heute befindet sich hier eine Gedenkstätte.

Unten: Das Gohliser Schlößchen wurde 1755/1756 im spätbarocken Stil erbaut.

Above: Friedrich Schiller spent the summer of 1785 in this little farmhouse in Gohlis. Today it is a memorial site.

Below: Gohlis' Lodge was built in the late Gothic style in 1755/56.

En haut: Durant l'été 1785, Friedrich Schiller séjourna dans une petite maison de paysans à Gohlis. Aujourd'hui, cette maison abrite une exposition consacrée au souvenir du poète.

En bas: Le petit château de Gohlis fut construit en 1755–56 dans le style du baroque tardif.

Haupteingang des Zoologischen Gartens, der seit seiner Eröffnung 1878 Anziehungspunkt für die Leipziger und ihre Gäste ist.

The main entrance to the zoological gardens which have been an attraction to Leipzig people and visitors alike since their opening in 1878.

Entrée principale du jardin zoologique: depuis son inauguration en 1878, c'est un pôle d'attraction pour les Leipzigois et les visiteurs étrangers.

Im Arthur-Brettschneider-Park in Eutritzsch.

The Arthur Brettschneider Park in Eutritzsch.

Dans le parc Arthur-Brettschneider à Eutritzsch.

Das Reclam-Haus in der Insel-Straße im sogenannten Grafischen Viertel erinnert an eine Epoche, als Leipzig noch Buchstadt war.

The Reclam building in Inselstrasse in the so-called Graphic Quarter is reminiscent of the days when Leipzig was still the City of Books.

La maison des éditions Reclam, dans la Inselstraße du »Quartier graphique«, rappelle l'époque où Leipzig était ville du livre.

Oben: Johannisfriedhof hinter dem Grassi-Museum mit Grabstätten bedeutender Persönlichkeiten.

Unten: Im Haus Inselstraße 18 wohnten 1840–1844 Robert und Clara Schumann.

Rechts: Das Reichsgericht, bekannt durch den Reichtstagsbrandprozeß 1933, beherbergt seit 1952 das Museum der bildenden Künste Leipzig.

Above: St. John's Cemetery behind the Grassi Museum with headstones of famous persons.

Below: Robert and Clara Schumann lived in 18 Inselstrasse from 1840 until 1844.

Right: The Reichsgericht building, was famous throughout the world for the Reichstag fire trial in 1933. Since 1952 it has been home to Leipzig's Museum of Graphic Art.

En haut: Cimetière Saint-Jean derrière le Musée Grassi, avec tombeaux de personnalités illustres.

En bas: De 1840 à 1844, Robert et Clara Schumann vécurent au 18 Inselstraße.

A droite: Le bâtiment du Reichsgericht, doit sa renommée au procès consécutif à l'incendie du Reichstag en 1933. Depuis 1952, il abrite le musée des Beaux-Arts de Leipzig.

Villa an der Wächterstraße.

A villa on Wächterstrasse.

Villa sur la Wächterstraße.

Der Pavillon stammt aus Gerhards Garten, einem der berühmten Gärten im Westen der Stadt, im Jahre 1740 angelegt. Heute befindet sich der Pavillon im Clara-Zetkin-Park.

The pavillion from Gerhard's Garden, one of the famous gardens in the west of the city which was laid out in 1740. Today the pavillion stands in Clara Zetkin Park.

Le pavillon de Gerhards Garten, un des fameux jardins de l'ouest de la ville, fut édifié en 1740; il se trouve àprésent dans le Clara-Zetkin-Park.

Links: Fahrgeschäfte und Schaubuden auf der Kleinmesse am Cottaweg, dem traditionellen Leipziger Volksfest.

Das Gelände der technischen Messe wird seit 1990 mehr und mehr kulturell genutzt.

Left: The annual small fair on Cottaweg, with stands, roundabouts, fairground booths and rides

The technical fair grounds have been used increasingly for cultural events since 1990.

A gauche: La petite foire annuelle du Cottaweg; on y voit une fois par an toutes sortes de stands, de manèges, de baraques de foire et d'attractions.

Depuis 1990, le parc d'expositions de la Foire technique développe sa vocation culturelle.

Oben: Nordseite des Marktes mit »Alter Waage«. In dem Gebäude befand sich von 1917 bis zur Zerstörung 1943 der Sitz des Leipziger Messeamtes.

Seite 87: Das Messehaus »Stenzlers Hof« wurde 1914 bis 1917 nach Entwürfen des Leipziger Architekten Leopold Stenzler errichtet.

Seite 88: Der »Sowjetische Pavillon« präsentierte nach dem Zweiten Weltkrieg die Ausstellungen der UdSSR. Die Halle wurde in den zwanziger Jahren für die Erzeugnisse des Werkzeugmaschinenbaus errichtet.

Above: The north side of the market square with the »Old Weighbridge«. The Leipzig trade fair office used this building from 1917 until its destruction in 1943.

Page 87: The exhibition hall Stenzler's Hof, built in 1914–17 according to plans drawn up by the Leipzig architect Leopold Stenzler.

Page 88: The »Soviet Pavillion« presented exhibitions from the USSR after World War II. The hall was built in the 1920s to exhibit machine-tool manufactured goods.

En haut: Côté nord du marché, avec l'Ancien Pesage. De 1917 jusqu'à sa destruction en 1943, ce bâtiment fut le siège de l'office de la foire de Leipzig.

Page 87: Le pavillon de foire »Stenzlers Hof« fut construit entre 1914 et 1917 d'après les plans de l'architecte leipzigois Leopold Stenzler.

Page 88: Après la Seconde Guerre mondiale, le »Pavillon soviétique« présentait les expositions de l'URSS. A l'origine, ce hall des années 20 servait à entreposer la production de machines-outil.

Leipzigs Markenzeichen – MM
Leipzig's Trademarks – MM
MM – la »griffe« de Leipzig

Natürlich gibt es das berühmte Logo der Leipziger Messe erst seit 1917! Aber die Institution, die dahintersteckt, die Mustermesse, nahm am Ende des 19. Jahrhunderts Gestalt an und prägte das Bild dieser Stadt wie kaum ein Ereignis zuvor.

Als die Industrie im 19. Jahrhundert ihren stürmischen Vormarsch begann und mit den Eisenbahnen die Verkehrsverbindungen revolutioniert wurden, war auch die alte Form der Messe in Gefahr. Warum sollten die Waren erst nach Leipzig gebracht werden, wenn sich Kunden und Erzeuger überall in Europa bequem erreichen konnten? Weshalb sollten massenhaft erzeugte Industrieprodukte dem Käufer vorgeführt werden, wenn sie sich doch glichen wie ein Ei dem anderen? Und sollte mit den Ungetümen moderner Maschinen und Anlagen passieren, die schon schwierig genug an ihre eigentlichen Bestimmungsorte zu bringen waren?

Schon früher, ab 1830 etwa, hatte sich die Gepflogenheit entwickelt, bestimmte Waren – sei es, weil sie sperrig, sei es, weil sie zerbrechlich waren – in Leipzig nach Mustern zu bestellen (z.B. Glas, Porzellan, Keramik, Spielwaren). Trotzdem hielt man im Prinzip am herkömmlichen System fest bis 1893 Berlin drauf und dran war, mit einer speziellen Mustermesse und sogar einem für diesen Zweck errichteten Gebäude in die Leipziger Domäne einzudringen. Mit Aufrufen an die Geschäftswelt 1893, veränderten Zeiten der Oster- und der Michaelismesse und schließlich dem Umbau des stadteigenen Gewandhauses zum »Städtischen Kaufhaus« (ab 1894) wurden diese Angriffe abgewehrt.

Die Leipziger Messe nahm von diesem Zeitpunkt an wieder für viele Jahrzehnte einen

Of course the famous logo of the Leipzig Trade Fair has only existed since 1917. But the institution behind it, the samples exhibition, began towards the end of the 19th century and made its mark on the city like no event before.

As industry began its rapid development in the 19th century and the railway revolutionized transport connections, the old type of exhibition was also endangered. Why should the goods first be brought to Leipzig when customers and manufacturers could easily be reached throughout Europe? Why should masses of industrial products be displayed to the customer when there was no difference between them anyway? And what was to happen with the monstrous modern machines and plants which were already difficult enough to transport to their actual point of delivery?

Certes, le fameux logo de Leipzig n'existe que depuis 1917, mais l'institution à laquelle il se réfère naquit à la fin du XIXe siècle: il s'agit de la foire-échantillons (»Mustermesse« en allemand), qui bouleversa le paysage urbain comme nul autre événement antérieur.

Avec les progrès foudroyants de l'industrialisation et l'apparition du chemin de fer qui révolutionna les communications, la foire traditionnelle était en passe de perdre sa raison d'être. Pourquoi transporter les marchandises jusqu'à Leipzig, quand les clients et les producteurs pouvaient se rencontrer n'importe où en Europe? A quoi bon présenter des produits industriels fabriqués en série, quand ils se ressemblaient comme deux gouttes d'eau? Et que faire de ces monstrueuses machines et de ces installations modernes qui étaient déjà si difficiles à convoyer jusqu'à leur lieu d'implantation effectif?

Pour les marchandises encombrantes ou fragiles comme le verre, la porcelaine, les céramiques ou les jouets, on avait pris l'habitude d'en exposer simplement des échantillons dès 1830. Mais le système traditionnel resta théoriquement en vigueur jusqu'en 1893, année où Berlin menaça de concurrencer Leipzig sur son propre terrain en organisant une foire-échantillons spécialisée dans un bâtiment construit à cet effet. Du coup, Leipzig mena une grande campagne auprès des milieux d'affaires de l'époque, modifia les dates des foires de Pâques et de la Saint-Michel, fit transformer l'entrepôt des drapiers appartenant à la ville en »Städtisches Kaufhaus« (à partir de 1894) et parvint finalement à écarter le danger qui menaçait sa position commerciale.

Dès lors, l'expansion de la foire de Leipzig fut assurée pour de nombreuses décennies.

stürmischen Aufschwung. Während 1897 der erste Meßkatalog 1268 Aussteller und 1637 Einkäufer ausweist, waren es 1925 bereits 15 000 Aussteller und 180 000 Einkäufer!

Bilder vom Messetreiben jener Jahre verdeutlichen, daß die Innenstadt trotz der noch verkehrenden Straßenbahnen absolut von den Fußgängern beherrscht wurde. Das Fluidum einer Messe mitten in einer pulsierenden Stadtlandschaft machte Leipzig einzigartig und unverwechselbar – in den zwanziger und dreißiger Jahren unseres Jahrhunderts, aber trotz der schrecklichen Wunden, die der Zweite Weltkrieg schlug, auch in der Zeit seit 1946.

Voraussetzung für diese Entwicklung war zunächst die bauliche Veränderung der City. Nachdem die Stadtverwaltung mit dem »Städtischen Kaufhaus« den Anfang gemacht hatte, entstanden bis zum Ersten Weltkrieg die meisten der pompösen »Meßpaläste« auf private Initiative: der Reichshof (1896–98), Specks Hof (1908/09), der Dresdner Hof (1912/13), die Mädlerpassage (1912–14), der Zentralmessepalast (1912–14), Stenzlers Hof (1914–16), um nur einige heute noch erhaltene zu nennen. 1908/09 ließ die Stadtverwaltung auf dem Geviert zwischen Naschmarkt, Salzgäßchen, Reichsstraße und Grimmaischer Straße das zweite städtische Mustermessehaus, den Handelshof, errichten. Dieser Bauboom setzte sich – wenn auch abgeschwächt – zwischen den beiden Weltkriegen fort. Ringmessehaus (1922, 1925/26), Untergrundmeßhalle Markt (1924), Grassimuseum/Südflügel (1925–29) und Petershof (1927–29) sind die hervorragendsten Beispiele.

Das Beständigste an der Messeentwicklung waren ständige innovative Veränderungen. Schon vor dem Ersten Weltkrieg entstanden innerhalb der Messe spezielle Einrichtungen wie die Papiermesse, die Sportartikelmesse oder die Deutsche Schuh- und Lederwarenmesse. Und danach wagte man sich aus dem Stadtzentrum hinaus in das Gelände am Fuße des Völkerschlachtdenkmals, wo 1913 die Internationale Baufachausstellung (IBA) und 1914 die Internationale Ausstellung für Grafik und Buchkunst (Bugra) stattgefunden hatten.

Halle auf Halle wuchs hier empor, darunter die Riesenhalle an der Westseite, 195 m lang und 83 m breit, ausgestattet mit einem direkten Gleisanschluß, die nach dem Zweiten Weltkrieg zum Sowjetischen Pavillon wurde, in luftiger Höhe mit einem roten Stern gekennzeichnet.

In der guten, alten Zeit, Ende der zwanziger Jahre, als die Weltwirtschaftskrise erst in der Ferne wetterleuchtete wurde ein ganz eigener Gradmesser der Messekonjunktur entdeckt:

Earlier, around 1830, it had become customary to order certain goods in Leipzig from samples, either because they were bulky or fragile, e.g. glass, porcelain, ceramics, toys. The customary principle was still generally adhered to until 1893 when Berlin was about to force its way into Leipzig's domain with a special samples exhibition, even planning the construction of a building especially for this purpose. These attacks were rebuffed through appeals to the business community in 1893, changed dates for the Easter and Michaelmas fairs and finally by rebuilding the city-owned Gewandhaus, turning it into the Städtisches Kaufhaus or city department store (from 1894).

From this point on, the Leipzig Trade Fair experienced a rapid boom which continued for many years. The first fair catalogue from 1897 lists 1,268 exhibitors and 1,637 customers, by 1925 these figures had already increased to 15,000 exhibitors and 180,000 customers!

Pictures of the hustle and bustle during the fairs in those years clearly show that the inner city was absolutely under the control of pedestrians in spite of the tramcars which were still in use in those days. The aura of a trade fair in the centre of a pulsating city made Leipzig unique and unmistakable in the 1920s and 1930s and even in spite of the terrible wounds inflicted by World War II in the years following 1945.

A prerequisite for this development was the structural alteration in the city centre. After the town council had made a start with the city department store, most of the pompous »Exhibition Palaces« built before World War I were erected in private initiative: the Reichshof (1896–98), Specks Hof (1908/09), the Dresdner Hof (1912–13), the Mädlerpassage (1912–14), the Zentralmessepalast (central exhibition palace) (1912–14), Stenzlers Hof (1914–16), just to mention a few of those still remaining today. 1908–09 the town council had the second sample exhibition building, the Handelshof, built in the square bordered by the Naschmarkt, Salzgässchen, Reichsstrasse and Grimmaische Strasse. This building boom continued – if not quite so rapidly – during the years between the two World Wars. The most outstanding examples are the Ringmessehaus (1922, 1925/26), Untergrundmessehalle Markt (1924), Grassimuseum/ south wing (1925–29) and Petershof (1927–29).

The most perpetual feature of the development of the fair were the constant innovative changes. Even before World War I there were

Tandis que le premier catalogue de 1897 mentionnait 268 exposants et 1637 acheteurs, les chiffres de 1925 parlent de 15 000 exposants et de 180 000 acheteurs! Les images de l'époque nous montrent qu'en temps de foire, le centre ville était complètement envahi par les piétons, malgré quelques tramways qui continuaient à circuler. L'influence de cette foire installée au beau milieu d'une ville trépidante conférait à Leipzig un caractère tout à fait particulier, un caractère qu'elle a sû préserver dans les années 20/30 et aussi après 1945, malgré les profondes blessures qui lui furent infligées au cours de la Seconde Guerre mondiale.

Pour assurer le succès de ce développement, il fallut transformer le centre ville, et donc construire du neuf. Après que la municipalité eut lancé le mouvement en créant le »Städtische Kaufhaus«, les initiatives privées prirent le relais; c'est à elles que Leipzig doit la majorité des »Palais de la foire« prétentieux qui furent construits avant la Première Guerre mondiale: le »Reichshof« (1896–98), »Specks Hof« (1908–09), le »Dresdner Hof« (1912–13), le passage Mädler (1912–14), le Palais central de la foire (1912–14) et »Stenzlers Hof« (1914–16), pour ne citer que quelques uns des édifices qui ont été conservés. Dans la zone située entre le Naschmarkt, le Salzgäßchen, la Reichsstraße et la Grimmaische Straße, la municipalité fit construire le »Handelshof«, deuxième pavillon de la foire-échantillons (1908–09). Malgré un certain fléchissement, le boom de la construction se poursuivit pendant l'entre-deux-guerres: »Ringmessehaus« (1922, 1925–26), »Untergrundmessehalle Markt« (1924), musée Grassi/aile sud (1925–29) et »Petershof« (1927–29) sont les exemples les plus intéressants de cette période.

Une constante de la foire de Leipzig, ce sont les innovations incessantes. Dès avant la Première Guerre mondiale, cette institution devait se diversifier en créant des sections spécialisées: Foire du Papier, Foire des Articles de Sport ou Foire allemande du Cuir et des Chaussures. Par la suite, on décida de quitter le centre ville pour s'installer sur un terrain adjacent au monument de la bataille des Nations: c'est là que se tinrent la Foire internationale des Métiers du Bâtiment en 1913 et l'Exposition internationale des Arts graphiques et du Livre (Bugra) en 1914.

Les halls d'exposition poussèrent comme des champignons; sur le côté occidental on édifia un hall gigantesque – 195 m de long sur 83 m de large – doté d'un enbranchement de voie ferrée particulier; après la Seconde

»Ist alles konzentrisch zur Messestadt verfrachtete Weiberfleisch sichtlich bereits abends in festen Händen, und schnurrt trotzdem noch lüsterne Onkelschaft hyänenartig kreuz und quer über die allmählich bereits verödenden nächtlichen Straßen, jede ehrbare Passantin... auf ihre eventuelle liebologische Bereitschaft beschnuppernd, dann diagnostiziert das Messethermometer: ›Konjunktur glänzend‹. Lungern aber um die Polizeistunde mißmutige Dirnen noch truppweise freierlos an Straßenecken und Hauseingängen herum, lispeln sie sogar dir Unbemesseabzeichneten... die verlockendsten Taxen ins Ohr..., dann Handelsbilanz der Messe verhülle Dein Haupt!«

Mit dem Ende des Zweiten Weltkrieges schien auch das »Aus« für die Messe gekommen. Von den 45 Messehäusern der Innenstadt waren neun völlig zerstört und die übrigen meist schwer beschädigt. Das Gelände der Technischen Messe, im Krieg Produktionsstätte für Rüstungsbetriebe, war eine einzige Ruinenlandschaft. Aber die Leipziger konnten sich ihre Stadt ohne Messe nicht vorstellen und packten kräftig zu. Schon im Oktober 1945 fand eine »Musterschau Leipziger Erzeugnisse« statt. Bevor 1947 zum üblichen Messetermin im März wieder die Frühjahrsmesse ihre Pforten öffnete, hatte 1946 die »Erste Leipziger Friedensmesse« Firmen und Käufer aus ganz Deutschland (einziger ausländischer Aussteller war damals die Sowjetunion) zusammengeführt. »Leipzig: trotz allem«, überschrieb ein Korrespondent aus der amerikanischen Besatzungszone seinen Beitrag und resümiert: Die Besucher aus den Westzonen »fanden eine aufgeräumte Stadt, eine disziplinierte, geistig und politisch regsame Bevölkerung, lebhaften Verkehr und eine Messe, an der das Wichtigste und Erfreulichste war, daß sie überhaupt stattfinden konnte.«

In den folgenden Jahrzehnten entwickelte sich die Leipziger Messe zu einem der bedeutendsten Handelsplätze des östlichen Blocksystems. Sie wurde eine wichtige Drehscheibe des Ost-West-Handels und quasi zum Schaufenster der DDR mit allen diffizilen Problemen einer solchen Stellung. Zweimal im Jahr war damit eine gewisse Weltoffenheit verbunden. Eine bevorstehende Messe machte sonst nicht verfügbare Baumaterialien, rare Genußmittel u.ä. auch den Leipzigern zugänglich.

Nach der deutschen Wiedervereinigung war plötzlich alles anders: Brauchte man neben den Messegiganten Hannover und Frankfurt am Main eigentlich dieses marode Leipzig noch? Erbittert wurde um neue

already special features within the fair such as the Paper Fair, the Sports Article Fair or the German Shoe and Leatherware Fair. Afterwards they took the risk of moving out of the city centre to the site at the foot of the monument commemorating the Battle of the Nations where the International Construction Exhibition (IBA) took place in 1913, followed by the International Exhibition for Graphic Art and Bookart (Bugra) in 1914.

Hall upon hall shot up here, among them the great hall on the west side, 195 m long and 83 m wide, equipped with its own direct rail connection. It became the Soviet Pavilion after World War II, characterized by a red star on its roof.

In the good old days at the end of the 1920s when the worldwide economic crisis was only brewing in the distance, a very unique yardstick was discovered for the economic situation of the fair: »If all the female flesh which has been brought concentrically to the city is obviously already accounted for by the evening and lusting men are still wandering back and forward like hyenas in the streets which are rapidly becoming desolate as night draws in, sniffing at every honourable female passer-by to find out her availability, then the fair thermometer diagnoses, ›economic situation excellent‹. However, if around closing time hordes of ill-humoured prostitutes are still hanging around street corners and house entrances without customers, whispering the most tempting appraisals in your ear even though you have nothing to do with the fair... then fair, hide your face in shame!«

At the end of World War II it looked as if the fairs in Leipzig were at an end. Of the 45 exhibition buildings in the city centre, nine were completely destroyed and most of the rest badly damaged. The site of the Technical Fair, which contained weapons factories during the war, was a sea of ruins. However, the people of Leipzig could not imagine their city without a trade fair and so they knuckled down. In October 1945 there was already a »Sample Exhibition of Leipzig Products«. Before the Spring Fair opened its gates in March 1947 at the usual date, the »First Leipzig Peace Fair« in 1946 had attracted firms and customers from the whole of Germany (the only foreign exhibitor then was the Soviet Union). »Leipzig in spite of everything« was the heading a reporter from the American zone of occupation used for his article and continued: Visitors from the western zones »found a city tidied up, a disciplined, intellectually and politically alert population, lively comings and goings and a fair,

Guerre mondiale, ce hall allait devenir le grand Pavillon soviétique, signalé de loin par sa belle étoile rouge.

Dans le bon vieux temps, c'est-à-dire vers la fin des années 20, quand la crise économique mondiale n'était qu'une tourmente lointaine, on avait conçu un baromètre bien particulier pour mesurer la côte de popularité de la foire: »Si toutes les femelles transbordées de toutes parts vers la ville sont déjà fermement prises en main en début de soirée, et si les mâles lubriques continuent à rôder comme des hyènes dans les rues nocturnes de plus en plus désertes en allant renifler chaque passante honorable... afin de tester sa disponibilité amoureuse, alors le baromètre de la foire indique: »excellente conjoncture«. Mais si, vers l'heure de clôture des cafés, des bandes de catins moroses continuent à traîner au coin des rues et sous les porches sans avoir trouvé de prétendants, si elles vont même susurrer des invites engageantes... à l'oreille de passants dépourvus de l'insigne de la foire..., alors, oh bilan de la foire, voile ta face!«

On aurait pu croire que la fin de la Seconde Guerre mondiale aurait entraîné la disparition de la foire. Des quarante-cinq bâtiments de foire du centre ville, neuf étaient entièrement détruits et les autres sérieusement endommagés pour la plupart. Le parc des expositions de la Foire technique – occupé pendant la guerre par les usines d'armement – n'était plus qu'un champ de ruines. Néanmoins, les Leipzigois ne pouvaient concevoir leur ville sans la foire et ils se mirent résolument au travail. Une première Exposition d'Echantillons des Produits leipzigois eut lieu au mois d'octobre 1945. Avant que la foire du printemps n'ouvre ses portes aux dates habituelles en mars 1947, la première Foire leipzigoise de la Paix réussit à attirer des firmes et des acheteurs de l'Allemagne toute entière (à l'époque, 1946, l'Union Soviétique était le seul exposant étranger). Un correspondant de la zone d'occupation américaine qui rédigea un article de presse intitulé »Leipzig malgré tout«, conclut par ces mots: les visiteurs étrangers venant des zones occidentales: »...découvrent une ville bien nette, une population disciplinée, vivement intéressée par les questions intellectuelles et politiques, un trafic intense et une foire dont l'aspect le plus réjouissant est qu'elle puisse avoir lieu malgré tout.«

Au cours des décennies suivantes, la foire de Leipzig devint une des principales places de commerce du bloc communiste, une plaque-tournante des échanges est-ouest et la vitrine de la RDA, avec tous les problèmes que

Die Untergrundmesshalle wurde 1924 als erste Untergrundmessehalle der Welt eingeweiht und bietet 1800 m² Ausstellungsfläche.

Seite 92: Die Zukunft: Das neue Messegelände an der Autobahn A 14.

The Underground Exhibition Hall was opened in 1924, offering 1800 m² exhibition space. It was the world's first underground hall.

Page 92: The future: The new exhibition area on the A 14 motorway.

La »Untergrundmesshalle«, premier hall de foire souterrain du monde, inaugurée en 1924; elle offe une surface d'exposition de 1800 m².

Page 92: L'avenir: les nouvelles installations de la foire près de l'autoroute A14.

Konzepte gestritten. Universalmessen waren out, die Themen für Spezialmessen meist andernorts besetzt. Leipzig setzte auf das Prinzip Hoffnung: Für 1,3 Milliarden DM entsteht ein supermodernes, verkehrsgünstig gelegenes neues Messegelände im Norden der Stadt. Am 85 m hohen Messeturm leuchtet zur Eröffnung im April 1996 wieder das MM, das nun für »Menschliche Messe« steht.

the most important thing about it being that it was able to take place at all.«

In the following decades the Leipzig Fair became one of the most important commercial centres for the Eastern Bloc countries, an important hub for trade between east and west and more or less the shop window for East Germany with all the awkward problems attached to such a position. This allowed for a certain cosmopolitanism twice a year. An imminent fair suddenly made accessible building materials, rare luxury goods and other things which were not normally available.

After the German reunion everything was suddenly different: Was delapidated Leipzig still necessary beside the exhibition giants Hannover and Frankfurt on the Main? A new concept was bitterly fought for. Universal fairs were out, the special theme fairs took place in other cities. Leipzig placed its money on the principle of hope: An ultra modern new exhibition area with favourable transport facilities is being built for DM 1.3 billion in the north of the city. For the opening in April 1996 an 85 m tower will again light up the MM, which now stands for »Menschliche Messe« (Human Fair).

soulève pareille position. Deux fois par an, la ville retrouvait une certaine ouverture au monde; par ailleurs, l'imminence d'une foire signifiait que certaines marchandises normalement introuvables (comme les matériaux de construction, les denrées de luxe et autres produits rares) devenaient accessibles pour les habitants.

Après la réunification allemande, tout cela a été remis en question: face à l'existence des deux géants de la foire de l'Ouest, Hanovre et Francfort-sur-le-Main, on ne savait plus trop que faire de ce Leipzig moribond. Les foires à vocation universelle étant dépassées et les thèmes des foires spécialisées généralement déjà exploités ailleurs, il a fallu tout mettre en oeuvre pour élaborer des alternatives. Leipzig a choisi de miser sur le principe »espérance«: un nouveau parc d'exposition hyper-moderne (coût: 1,3 milliards de DM), bien placé par rapport aux voies de communication, se construit actuellement au nord de la ville. Pour son inauguration au mois d'avril 1996, la tour de la foire (85 m de haut) fera de nouveau rayonner le sigle MM, qui pourrait à présent signifier »Menschliche Messe«, en français »Foire humaine«.

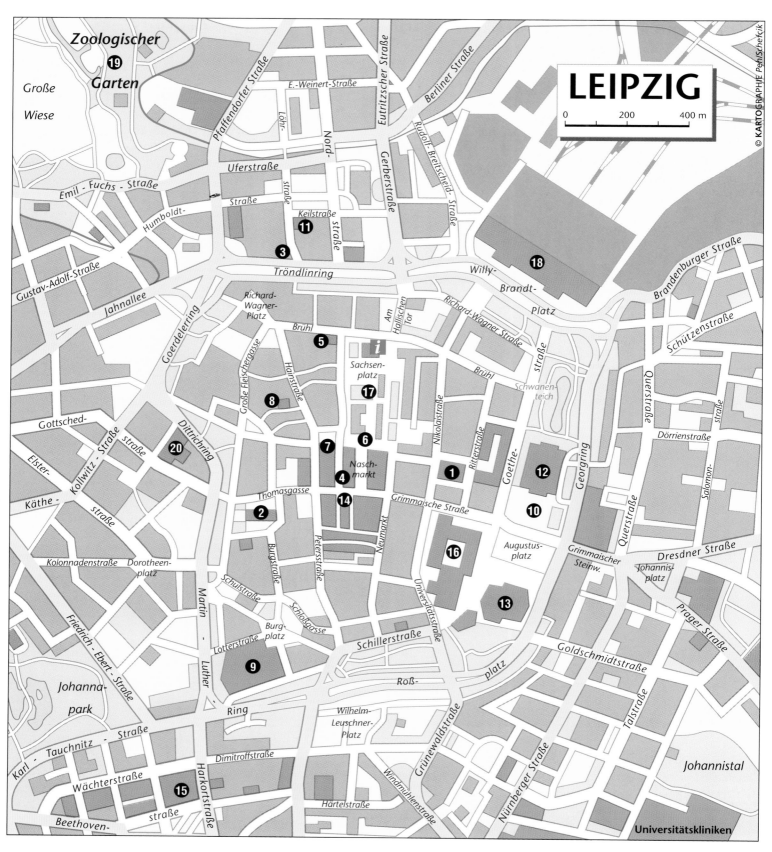

LEIPZIG

© KARTOGRAPHIE Pehl/Schefčik

0   200   400 m

1. Nikolaikirche/ Nikolai Church/ Eglise Saint-Nicolas
2. Thomaskirche/ St. Thomas Church/ Eglise Saint-Thomas
3. Reformierte Kirche/ Reformed Church/ Eglise Réformée
4. Altes Rathaus/ Old town hall/ Ancien hôtel de ville
5. Romanushaus/ Romanus House/ Maison Romanus
6. Alte Börse/ Old stock exchange/ Ancienne Bourse
7. Markt/ Market/ Marché
8. Barthels Hof/ Barthels Court/ Barthels Hof
9. Neues Rathaus/ New town hall/ Nouvel hôtel de ville
10. Augustusplatz/ Augustus Square/ Augustusplatz
11. Leipziger Synagoge/ Leipzig Synagogue/ Synagogue de Leipzig

12. Opernhaus/ Opera house/ Opéra
13. Neues Gewandhaus/ New Gewandhaus/ Nouveau Gewandhaus
14. Auerbachs Keller/ Auerbach's Cellar/ Cave d'Auerbach
15. Museum der bildenden Künste; ehemaliges Reichsgericht/ Museum of the Fine Arts;
    former supreme court of the German Reich/
    Musée des Beaux-Arts; ancienne Cour suprême du Reich
16. Universität/ University/ Université
17. Sachsenplatz/ Saxony Square/ Sachsenplatz
18. Hauptbahnhof/ Main station/ Gare centrale
19. Zoologischer Garten/ Zoological garden/ Jardin zoologique
20. Schauspielhaus/ Theatre/ Théâtre

Die Autoren

Der Fotograf Roland Dreßler wurde 1950 in Weimar geboren. Nach der Berufsausbildung als Werkzeugmacher und studierte er Chemie an der Friedrich-Schiller-Universität in Jena. Von 1979 bis 1993 war er als Fotograf bei den Kunstsammlungen zu Weimar tätig. Er arbeitet heute als freiberuflicher Fotograf mit dem Schwerpunkt Architektur- und Landschaftsfotografie. Er veröffentlichte zahlreiche Bildbände und Kalender. Bei Artcolor erschien der Bildband »Weimar« mit seinen Fotografien.

Der Autor Dr. Klaus Sohl ist 1935 in Dresden geboren. Der promovierte Historiker leitet seit 1979 das Stadtgeschichtliche Museum in Leipzig und gestaltete viele Ausstellungen innerhalb und außerhalb des Museums mit. Als Herausgeber und Autor beschäftigt er sich vor allem mit der Geschichte der Messestadt Leipzig.

The Authors

The photographer Roland Dreßler was born in 1950 in Weimar. After his training as a toolmaker he studied chemistry at the Friedrich Schiller University in Jena. From 1979 to 1993 he worked as a photographer for the Weimar art collections. Today he works as a freelance photographer focusing his attention on architectural and landscape photography. Artcolor has published the illustrated book »Weimar« which contained his photographies.

The author Dr. Klaus Sohl was born in 1935 in Dresden. Since 1979 the historian has been head of the Museum of Municipal History in Leipzig and co-organizes many exhibitions in and outside the museum. As editor and author he mainly deals with the history of the exhibition city of Leipzig.

Les Auteurs

Le photographe, Roland Dreßler, né en 1950 à Weimar. Après une formation professionnelle d'outilleur, il étudia la chimie àl'université Friedrich Schiller de léna. De 1979 à 1993, il a travaillé comme photographe pour les Kunstsammlungen de Weimar. Aujourd'hui photographe indépendant, il se consacre de préférence au domaine de l'architecture et du paysage. Il a publié quantité d'ouvrages illustrés ainsi que des calendriers. Ce sont ses photographies qui ornent le volume »Weimar«, paru chez Artcolor.

L'auteur, Dr. Klaus Sohl, né en 1935 à Dresden. Depuis 1979, cet historien émérite dirige le musée d'Histoire de Leipzig; grâce à son concours, de nombreuses expositions ont été organisées dans le cadre du musée et à l'extérieur. En tant qu'éditeur et auteur, il s'intéresse tout particulièrement àl'histoire de la ville de foire Leipzig.

Literaturhinweise

Rose-Marie Frenzel und Wolfgang G. Schröter (Hrsg.): Hermann Walter – Fotografien von Leipzig.
Leipzig 1988
Axel Frey und Bernd Weinkauf (Hrsg.): Leipzig als ein Pleißathen – eine geistesgeschichtliche Ortsbestimmung.
Leipzig 1995
Wolfgang Hoquel: Die Architektur der Leipziger Messe. Berlin 1994;
Leipzig – Baumeister und Bauten.
Leipzig 1990

Wolfgang Schneider: Leipzig – Dokumente und Bilder zur Kulturgeschichte. Leipzig, Weimar 1990
Stadtgeschichtliches Museum Leipzig und Leipziger Geschichtsverein (Hrsg.): Verwundungen – 50 Jahre nach der Zerstörung von Leipzig. Leipzig 1993.
Stadtgeschichtliches Museum Leipzig, Ursula Oehme (Hrsg.): Alltag in Ruinen – Leipzig 1945–1949. Leipzig 1995;
Das Reichsgericht. Leipzig 1995
Stadtgeschichtliches Museum Leipzig, Dr. Klaus Sohl (Hrsg.): Neues Leipzigisches Geschichts-Buch. Leipzig 1990

Bildnachweis

Stadtgeschichtliches Museum Leipzig:
Historische Aufnahmen
Luftbilder: Andreas Peter, Leipzig
Uwe E. Nimmrichter: Seite 52, 53, 84, 85
Alle übrigen Bilder stammen vom Fotografen Roland Dreßler.

Im Artcolor Verlag sind außerdem erschienen:

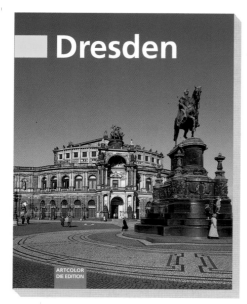

E. Pansegrau / L. Koch
Dresden
80 Seiten, 83 farbige Abbildungen
29,80 DM
ISBN 3-89261-176-9

R. Dreßler, U. Böttcher / J. Klauß
Weimar
80 Seiten, 84 Abbildungen
29,80 DM
ISBN 3-89261-153-X

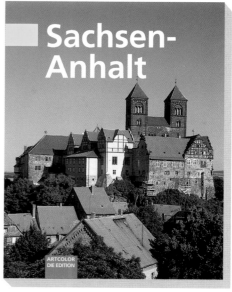

A. Sperber / P. Parusel
Sachsen-Anhalt
80 Seiten, 80 Abbildungen
19,80 DM
ISBN 3-89261-177-7

C. Prager / K. Jaaht
Inn und Salzach
80 Seiten, 80 Abbildungen
29,80 DM
ISBN 3-89261-166-1

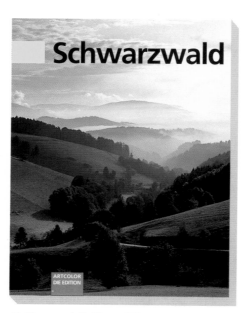

C. Prager / C. Bette-Wenngatz
Schwarzwald
80 Seiten, 144 Abbildungen
19,80 DM
ISBN 3-89261-174-2

C. Prager / C. Bette-Wenngatz
Berchtesgadener Land
80 Seiten, 84 Abbildungen
29,80 DM
ISBN 3-89261-175-0